Mañana

Du même auteur

Et si les poules avaient des dents?, nouvelles, Éditions Logiques, 1992 (épuisé).

J'ai épousé une poupée gonflable, roman, 2002.

Les Éditions des Intouchables bénéficient du soutien financier de la SODEC, du Programme de crédits d'impôt du gouvernement du Québec et sont inscrites au Programme de subvention globale du Conseil des Arts du Canada.

Nous reconnaissons l'aide financière du gouvernement du Canada par l'entremise du Programme d'aide au développement de l'industrie de l'édition (PADIÉ) pour nos activités d'édition.

LES ÉDITIONS DES INTOUCHABLES
2316, avenue du Mont-Royal Est
Montréal, Québec
H2H 1K8
Téléphone : (514) 526-0770
Télécopieur : (514) 529-7780
www.lesintouchables.com

DISTRIBUTION : PROLOGUE
1650, boulevard Lionel-Bertrand
Boisbriand, Québec
J7H 1N7
Téléphone : (450) 434-0306
Télécopieur : (450) 434-2627

Impression : Marquis Imprimeur inc.
Conception de la couverture : Sébastien Bisson
Infographie : Benoît Desroches
Révision, correction : Hélène Paraire, Corinne Danheux

Dépôt légal : 2006
Bibliothèque nationale du Québec
Bibliothèque nationale du Canada

ISBN 2-89549-226-3

PRÉFACE

Pour éviter d'écrire ce livre, j'ai fait le ménage du frigo, classé mes disques dans l'ordre alphabétique, rempoté mes fleurs et repeint la salle de bain. Puis, j'ai réalisé que j'étais en train de travailler, alors, tant qu'à faire, j'ai écrit ce livre.

LOUIS-THOMAS PELLETIER

LES HUIT ÉTAPES DE LA PROCRASTINATION

1. La prochaine fois, je vais commencer tôt.
2. Tiens, voici une occasion de commencer tôt.
3. Je vais commencer bientôt.
4. J'ai encore un peu de temps.
5. Pourquoi n'ai-je encore rien fait ?
6. Allez, il faut vraiment que je commence.
7. Bon… c'est trop tard. Tant pis.
8. La prochaine fois, je vais commencer tôt.

REMERCIEMENTS

L'auteur tient à remercier les personnes suivantes pour leurs commentaires et, parfois même, leurs encouragements :

Mélanie Beaudoin
Manon Chevalier
Marie-Julie Dallaire
Hélène Desjardins
India Desjardins
Annick Desmarais
Simon-Olivier Fecteau
Emmanuel Hoss-Desmarais
Marie-Christine Labelle
Stéphane Lapointe
Jonathan Rosman

Merci à Eva Van den Bulcke de m'avoir prêté ses sandales postnucléaires.

CHAPITRE 1

J'ai passé un an dans cette ville, un dimanche.

WARWICK DEEPIN

J'aurais pu éviter la prison si je n'avais pas commis la bêtise de mettre les pieds à St-Perpétuel. Ce fut ma première erreur. Non, pas la première, attendez.

Il faut remonter bien avant. Au secondaire. Chez le conseiller en orientation.

– Qu'est-ce que je fais ? J'aime tout.

– Tout ?

– En fait, non, c'est pas vrai. J'aime rien. Mais je m'intéresse à tout.

Il m'a vite fait passer un test psychologique qui révéla que je suis un « INFP ». Je n'ai jamais vraiment compris ce que c'est. Il a tenté de m'expliquer qu'il s'agit d'un type de personnalité qui doit vivre en harmonie avec ses valeurs et que je devais…

– … en conséquence, choisir une carrière te permettant d'exprimer ta vision, dans une structure flexible où tu pourrais contrôler les procédés et les produits.

– Ah…

Devant mon air ahuri, il a eu la gentillesse de préciser :

– Ça veut dire que t'as un côté artistique.

– Ah bon…

– Est-ce que tu fais, heu… je sais pas moi, de la peinture, du dessin, de la danse, du chant, de la photo, de la poésie, de la sculpture, du mime ?

– Heu… je joue un peu de guitare.

– Alors, voilà.

Je l'ai remercié et je suis parti. Considérant l'affaire réglée, je ne me suis pas présenté au rendez-vous suivant ni aux subséquents.

J'ai eu tort. Alors, vous comprenez maintenant pourquoi je me retrouve aujourd'hui tournant en rond dans ma cellule de prison, dans ce village pourri du bout du monde, cherchant en vain une faille dans le système de sécurité : un barreau affaibli par la rouille, un petit objet métallique que je pourrais introduire dans la serrure pour en enclencher le mécanisme, un mur au ciment friable, un double plafond, un passage secret.

Non ?

Attendez. Essayons autrement : c'est la faute de ma courte carrière musicale.

Nous étions quatre. Comme les Beatles, comme Led Zeppelin. Le succès en moins.

Musicalement, notre principale qualité était de jouer très fort. Nous avions investi nos économies dans les meilleurs amplis et ça s'entendait. Mais ce pari s'avéra peu rentable et notre première tournée devint rapidement notre tournée d'adieux. Le dernier concert fut mémorable. Du moins, c'est ce qu'on m'a raconté, car je n'en garde qu'un vague souvenir. La salle étant entièrement vide, nous n'avons pas jugé utile de jouer et avons plutôt consacré la soirée à boire le reste de la réserve de bière qu'un commanditaire nous avait offerte.

Bref, c'est bien l'échec de ma carrière musicale qui m'a conduit en prison. Pourquoi ? Parce qu'elle m'a entraîné à St-Perpétuel, où l'on me promettait un emploi que je ne pouvais pas refuser.

J'étais loin de me douter que je courais à ma perte.

CHAPITRE 2

L'avantage de visiter le désert,
c'est que t'as pas besoin d'apprendre la langue.

JEAN-MARIE GOURIO

Poteau, poteau, poteau, une forêt, une rivière, un silo, tiens une vache, poteau, poteau.

Le paysage monotone, toujours le même, semblant monté sur un tapis roulant, défile à l'infini par la fenêtre de l'autocar. Depuis longtemps, le chapelet d'usines et d'entrepôts ceinturant Montréal a cédé la place à cette boucle sans fin de boisés, de fermes et de villages isolés.

Poteau, poteau, un champ de quelque chose de jaune. Du blé ? Du maïs ? Du foin ? Qu'est-ce que j'y connais ? Rien du tout. De l'orge, peut-être ? Est-ce que ça pousse dans les champs, de l'orge ? Est-ce que ça existe ? C'est une céréale, non ? Est-ce qu'on en produit chez nous ? Mon ignorance des choses de la campagne est sans limites. Quelqu'un me dirait : « Tu vois, c'est un champ de Froot Loops, d'où les reflets verts, rouges, jaunes et bleus » et je serais tenté de le croire.

Poteau, poteau, une maison, un silo, un tracteur, une vieille remorque faisant office de panneau-réclame, poteau, poteau.

Si jamais l'idée germait dans l'esprit de nos dirigeants de construire une immense allée de curling de plusieurs centaines de kilomètres de long, j'ai maintenant la confirmation que nous avons tout l'espace vide requis, juste ici, au bord de cette route. Je ne dis pas que nous serions plus heureux pour autant.

Je dis seulement que nous avons la place. C'est tout. Et si jamais cette idée stupide se concrétisait, je n'en accepterais aucune responsabilité. D'ailleurs, je regrette déjà de l'avoir eue.

Mais il faut bien s'occuper l'esprit. J'ai horreur de perdre mon temps.

L'autocar tourne sur une route plus petite. Poteau, poteau, une grange qui penche et menace de tomber. Il est onze heures vingt-huit à ma nouvelle montre numérique achetée à crédit, juste avant mon départ.

La petite annonce disait: « Policier recherché. Aucune expérience requise. Poste permanent. Zone rurale. » Au téléphone, on m'a pratiquement promis l'emploi, sous réserve de me voir en personne. « Une simple formalité », m'a-t-on précisé. J'ai mis quelques vêtements et mon mélangeur dans une valise et me voici.

Qu'est-ce que j'ai à perdre? Je n'ai plus d'ambitions musicales, mon diplôme fraîchement acquis à l'École nationale de police ne m'a pas permis de me placer à Montréal et mes parents ne sont pas riches. Comme, en plus, j'ai accumulé quelques dettes ici et là, l'urgence de travailler commence à se faire sentir.

Mes colocataires étaient trop contents de me remplacer par un de leurs amis, plus susceptible que moi de payer sa part du loyer le premier du mois. J'ai dit adieu à Brigitte, rencontrée le week-end dernier dans un bar.

– Je quitte Montréal.

– Ah.

– Je sais pas pour combien de temps.

– Bon.

– Alors... salut.

– O.K., bye.

J'aurais préféré rester. Pas pour Brigitte. Mais pour tout le reste. Tout ce qu'on trouve à Montréal et pas ailleurs. La vie, quoi!

Je profite du trajet pour réviser les fonctions de ma montre, équipement essentiel du policier moderne:

heure, date, chronomètre, éclairage dans le noir, pression atmosphérique, résistance à l'eau jusqu'à 100 pieds. Tiens, cette dernière caractéristique me sera utile si, ne pouvant plus supporter l'ennui, je décide de me noyer au fond d'un puits.

L'autocar tourne sur une route encore plus petite. Au rythme où les routes rapetissent, je crains qu'on nous demande bientôt de descendre et de porter nous-mêmes nos bagages, sur un sentier escarpé où nous attendent couleuvres, scorpions, foulures de chevilles et hurlements lointains des meutes de loups. Au loin, à travers la pluie qui commence, je distingue quelques bâtiments constituant le centre d'un village isolé.

Midi vingt-deux. J'aperçois enfin une affiche annonçant « St-Perpétuel, population 2 800 ». Le chiffre a été rayé et remplacé par « 1 500 », lui-même rayé et remplacé par « 800 ». Visiblement, cette ville est en déclin (simple déduction). Peu importe. J'y resterai le temps de rembourser mes dettes les plus pressantes. Pas une minute de plus.

L'autocar s'arrête au centre du village. Je conclus qu'il s'agit du centre parce que c'est là qu'il s'immobilise, mais aussi parce que la densité de bâtiments y est légèrement plus importante que partout autour. J'essaie de m'entraîner à remarquer ce genre de choses, pour développer les réflexes qui me seront utiles dans ma carrière débutante.

Aucun autre passager ne bouge. Je suis le seul à descendre, sous la pluie. J'ai bien la tentation de rester à bord, mais je n'ose pas imaginer vers quelles profondeurs infinies la suite du voyage conduira ces pauvres gens. Je récupère mon sac à dos, puis observe à regret l'autocar s'éloigner, me laissant seul dans ce bled perdu.

Le village ressemble au portrait que je m'en étais fait : moche et désert. Autour de moi, j'aperçois quelques commerces : une petite épicerie (où l'on vend aussi, et sûrement en quantité démesurée pour oublier la monotonie locale, des boissons à haute teneur en alcool), une quincaillerie, une Caisse populaire et une pharmacie qui offre aussi le service postal. Tout est glauque et déprimant. C'est la première fois que je vois une motoneige sur une galerie.

Directement en face de la Caisse se dresse une grande maison ancienne comportant diverses enseignes gravées sur du bois. Sur la première, on peut lire : « Paul-Émile Blackburn, notaire ». L'autre, juste en dessous, nous apprend qu'il s'agit aussi de l'hôtel de ville et du poste de police. Finalement, sur une affichette de carton, on a écrit à la main : « Fred, installez-vous. De retour bientôt. Paul-Émile Blackburn ».

Au moins quelqu'un m'attend.

CHAPITRE 3

Si le clown est triste,
c'est tout simplement parce qu'il est mal payé.

W.C. FIELDS

– C'est parfait !

Paul-Émile Blackburn, un petit homme trapu dans la cinquantaine, portant un complet sombre et des lunettes aux épaisses montures noires, est confortablement assis derrière son pupitre (sur un fauteuil en cuir qui semble bien moelleux) et m'observe, figé sur ma petite chaise droite en bois (mais bon, il est maire et je ne suis qu'aspirant policier) comme s'il avait reçu une marchandise commandée par catalogue.

– Jeune, costaud, crédible, propre. C'est parfait.

Avec mes six pieds quatre pouces pour deux cent vingt livres et mes cheveux en brosse, il ne me manque que la moustache pour correspondre au parfait *casting* du policier. Et psychologiquement, je dois me conformer à la vision qu'il avait en tête lorsqu'il a publié sa petite annonce (un type un peu désespéré, prêt à travailler en région éloignée pour une bouchée de pain).

– Veux-tu bien me dire c'est quoi le problème avec les jeunes ? Ils veulent seulement travailler à Montréal ou à Québec ! Ou pour la SQ.

– Je...

Le maire ne me laisse pas répondre. De toute façon, il ne paraît pas du tout intéressé à ce que je pourrais lui raconter. Heureusement, son jugement hâtif semble m'être favorable.

– Tu vas aimer ça ici, c'est tranquille. Zéro crime. Le gars avant toi est resté trente ans. C'est ton âge, non? Pis y s'est jamais rien passé. Tu vas aimer ça. Côté logement, as-tu quelque chose en vue?

– Heu... J'y ai pas encore vraiment...

– Pas de problème, j'ai pensé à tout.

Le maire Blackburn m'entraîne vers le sous-sol de ce bâtiment qui est à la fois sa résidence, son cabinet de notaire, l'hôtel de ville et le poste de police.

Qu'une seule personne incarne ainsi tous les pouvoirs locaux et les concentre dans sa résidence privée me paraît un peu abusif. Pourtant, venant de lui, ça semble naturel. On aurait dit que cet homme rondelet et court sur pattes a toujours été maire et qu'il le sera toujours. Il a l'air d'être né vêtu de son costume sombre, avec plusieurs poches pour y ranger des discours: le discours de la victoire, long et présomptueux («Une petite victoire pour moi, une grande victoire pour l'humanité»), plié dans la poche d'en bas à droite et celui de la défaite, amer et incisif, jamais utilisé («Mon adversaire est un sale tricheur!»), chiffonné dans la petite poche intérieure à gauche.

En descendant l'escalier, je me promets de ne pas tenter de battre le record de longévité du policier précédent. Je me donne un an, gros maximum, pour trouver autre chose.

Le maire ouvre la porte en fer forgé d'une toute petite pièce aux murs de ciment, aménagée dans le sous-sol.

– C'est pas grand, mais c'est chez toi.

Quoi? C'est dans ce placard qu'il compte m'héberger? Il rêve ou quoi?

«C'est pas grand, mais c'est chez toi.» Curieuse phrase. Le fait que ce soit chez moi ne compense en rien l'exiguïté des lieux. C'est même pire. C'est pas grand et, en plus, c'est chez moi. Dans ma cellule, on trouve le strict minimum: un lit, un coussin, un lavabo, une toilette, une table de chevet, un petit téléviseur, mais pas de fenêtre.

– On s'en sert jamais. On va prendre des frais minimes sur ta paye pour le loyer. Heu… pour la douche, c'est au fond du couloir.

Je n'ose même pas jeter un coup d'œil à la salle de bain, sans doute d'inspiration soviétique, avec juste un tout petit filet d'eau qui devient hyperchaud quand un visiteur actionne la chasse d'une des toilettes de l'édifice.

Mais j'ai besoin de sous. Alors, pour l'instant, je me contenterai de ce confort spartiate.

Le maire reprend sa visite guidée avec enthousiasme.

– Je vais te montrer la cour.

Nous remontons l'escalier et débouchons sur un grand terrain entouré d'une haie. Un garage occupe le fond du jardin.

– On a un petit carré de gazon, pour prendre du soleil. Et c'est pas tout…

Il m'entraîne vers le garage. On dirait un animateur de jeu télévisé qui s'apprête à remettre le gros lot à un concurrent particulièrement méritant. J'entends presque les applaudissements de la foule quand il sort ses clés.

– Évidemment, un représentant de la loi doit avoir un moyen de transport.

Ah ! Enfin une bonne nouvelle. Il y a longtemps que je rêve de conduire ma propre voiture de police. Le maire ouvre fièrement la porte du garage. Roulement de tambour. À l'intérieur, je n'aperçois qu'un vieux vélo CCM à trois vitesses pour femme avec un panier à l'avant.

– Il appartient à mon épouse, mais elle s'en sert pas. C'est un bon vélo. Il s'en fait plus des comme ça.

C'est décidé : dès ce soir, je prépare mon curriculum vitæ.

CHAPITRE 4

J'aime le travail, il me fascine. Je peux le contempler pendant des heures. J'adore le garder près de moi. L'idée de m'en débarrasser me brise le cœur.

JÉROME K. JÉROME

Je pousse lentement la porte de la pièce que le maire m'a désignée comme étant mon bureau. Pour une raison que j'ignore, il n'a pas osé y entrer.

Je découvre un petit local poussiéreux dont la grande fenêtre fermée par un vieux rideau gris donne directement sur la rue.

J'entrouvre le rideau pour laisser passer la lumière et je trouve, sous une tonne de poussière, un pupitre de métal, un vieux téléphone à cadran, une machine à écrire Underwood plus que vétuste, un fauteuil à roulettes pas trop mal, quelques chaises en bois et un classeur rouillé. Sur les murs sont affichés une carte jaunie de la région constellée d'épingles de couleurs et un portrait encadré.

En soufflant sur la photo pour enlever le gros de la poussière, je distingue un homme joufflu et souriant, dans la soixantaine, portant un uniforme de policier. Sûrement mon prédécesseur.

Derrière la porte, il y a son uniforme, accroché à une patère. J'essaie la casquette. Elle est beaucoup trop grande et me tombe sur les yeux. J'examine le reste de l'uniforme: les pantalons sont nettement trop courts et trop grands à la taille. Le veston offre trop d'espace pour le ventre et les manches m'arrivent aux coudes.

Conclusion : l'ancien policier était un petit gros.

Je me félicite de mon esprit de déduction, non pas que ça donne quoi que ce soit, puisque j'aurais pu demander à n'importe quel villageois de quelle taille était l'ancien policier et on m'aurait sans doute répondu « un petit gros » (ou une variation plus « politiquement correcte » sur le même thème, comme « verticalement désavantagé et bien portant ») et j'en serais venu à la même conclusion, mais je savoure tout de même la joie d'y être arrivé seul. C'est signe que mes réflexes sont aiguisés et que mon entraînement m'a préparé à faire face à mes nouvelles responsabilités : un seul indice et je dresse le portrait du type. C'est ce qui fait la différence entre le simple civil et les gens comme nous.

Je m'assieds sur le fauteuil à roulettes et pose les pieds sur le bureau. Dans cette position, je vois parfaitement ce qui se passe dans la rue. C'est-à-dire rien. Dois-je conclure pour autant qu'aucun groupe criminel local n'est en train d'organiser un étonnant trafic d'organes humains digne des pires cauchemars ? Difficile à dire.

Je décroche le téléphone. Tiens, il n'y a pas de tonalité. J'essaie de nouveau, rien à faire. Bon, il faudra faire brancher ça.

J'enfonce une touche de la machine à écrire. Elle reste coincée. Je la dégage, puis teste une autre touche. Même problème. Je devrais faire une liste des choses à réparer.

Puis, je remarque que le pupitre comporte trois tiroirs. J'ouvre le premier et y trouve un vieux revolver. Ah ! Mon premier revolver... Il deviendra mon fidèle compagnon. On ne se quittera plus. Il sera toujours là pour me défendre. Même s'il tombe un jour accidentellement entre des mains ennemies, je saurai le reprendre par la ruse, en détournant l'attention du vilain qui ose le pointer dans ma direction. Et puis, hop ! D'un coup de savate bien placé, voilà mon magnum qui reviendra à son propriétaire légitime.

Car, idéalement, j'aurai toujours tendance à reprendre le dessus même dans les situations délicates et à réussir les missions qu'on me confie.

Tiens, je devrais lui donner un nom, à mon nouvel ami. Pourquoi pas Albert ? Ce sera comme pour les ouragans. Le suivant (peut-être un semi-automatique ?) portera un nom qui commence par « B » et ainsi de suite. Oui, j'aime bien ce concept.

À peine ai-je Albert en main que son barillet tombe avec fracas sur le plancher et roule vers l'autre bout de la pièce sur le parquet légèrement en pente. Je vais l'ajouter à ma liste de choses à réparer.

En me levant pour ramasser le barillet, j'aperçois par la fenêtre une vieille remorqueuse rouge stationnée de l'autre côté de la rue, juste devant la Caisse populaire. Ce qui retient mon attention et éveille tout de suite en moi un début de soupçon, c'est que le véhicule est stationné de façon à ce que la chaîne reliée au treuil hydraulique puisse atteindre directement le guichet automatique situé sur la façade du bâtiment.

Déjà ma première enquête ? Cette ville n'est peut-être pas si tranquille, après tout.

Un individu d'une trentaine d'années, grand, costaud, calme, s'approche du guichet automatique, tirant derrière lui le crochet de la remorqueuse.

Un autre homme reste au volant du véhicule suspect : la mi-vingtaine, maigre, plutôt nerveux à en juger par ses gestes brusques.

Évidemment, mon instinct de représentant de la loi me dicte de passer en mode filature. Je me lève et me cache derrière le rideau de la fenêtre pour épier ces curieux voleurs agissant en plein jour, à visage découvert, apparemment sans s'inquiéter un seul instant d'être vus.

Quatorze heures douze. Le plus costaud des deux semble faire subir au guichet un traitement que je ne distingue pas bien.

Par réflexe, je saisis Albert (il peut quand même servir, on a bien détourné des avions avec des pistolets à eau) et le glisse dans ma poche.

Je m'apprête à sortir du bureau et à intervenir quand je vois l'individu ranger la chaîne à l'arrière du camion et remonter à bord. L'autre suspect démarre rapidement et la remorqueuse quitte mon champ de vision avant même que je ne puisse me précipiter dehors pour en relever le numéro d'immatriculation.

Peu importe. Voilà ma première enquête bien amorcée.

CHAPITRE 5

La justice, c'est comme la Sainte Vierge.
Si on ne la voit pas de temps en temps, le doute s'installe.

MICHEL AUDIARD

C'est généralement dans les villes les plus laides qu'on retrouve les gens les plus sympathiques. Sans doute pour compenser. Si les Parisiens peuvent impunément perpétuer leurs traditions de se croire le centre de l'univers, d'avoir raison en toute circonstance et de ne pas ramasser les crottes de leurs chiens, les habitants de St-Perpétuel ont, en revanche, tout intérêt à sourire aux touristes.

Juste à constater le style architectural de l'endroit et sans même avoir eu le moindre contact avec un habitant autre que le maire, j'acquiers, en faisant le tour de St-Perpétuel à vélo, la conviction que tous les St-Perpétuélois doivent être absolument charmants.

On a vite fait le tour du village. Même en roulant lentement. Après avoir déposé mes effets personnels dans ma cellule et attrapé un sandwich à l'épicerie, j'en suis à mon troisième circuit et je n'ai toujours rien vu de beau ni même d'endroit qui posséderait un genre de laideur intéressante.

Rien ici ne semble avoir changé depuis vingt ou trente ans. Vous me direz que le côté vieillot de l'endroit doit lui conférer un certain attrait. Eh bien non.

Le passé ne commence à être intéressant qu'avec un peu de recul. St-Perpétuel au grand complet se situe dans cette période où les vieux objets et les vieilles idées ne sont que de vieux objets et de vieilles idées. Ici, pas de charme suranné, juste un retard dans tous les domaines.

Mais ce qui me trouble le plus, c'est qu'à part les deux zigotos de tout à l'heure (qui viennent sans doute d'un autre village, car je n'ai toujours pas aperçu leur véhicule), l'endroit est extrêmement tranquille, absolument rien d'illégal ne semble s'y dérouler. Je suis peut-être impatient, mais j'ai hâte de me rendre utile. À la fois pour tromper mon ennui et pour avoir quelque chose à mettre dans mon curriculum vitæ.

Il y avait bien cette grosse dame tout à l'heure à l'épicerie qui tentait de combiner deux offres promotionnelles :

– J'ai des coupons qui me donnent cinquante cents de rabais et des coupons deux pour un. Donc, pour chaque pot de yogourt que j'achète, vous me devez vingt-cinq cents.

Mais je n'ai pas jugé bon d'intervenir, jugeant son offense trop mineure. En plus, elle semblait avoir un sacré caractère. Tous les éléments étaient en place pour que je ferme les yeux sur l'incident.

Dans la rue principale, je repasse devant des commerces, parfois fermés même s'il est à peine seize heures. Aucun ne semble contrevenir aux règlements municipaux habituels, à moins que ceux de St-Perpétuel ne mentionnent quelque chose au sujet de la laideur, encore que ça m'étonnerait puisque la totalité de la ville y contreviendrait.

Si, au moins, il y avait un feu de circulation, je pourrais le surveiller et donner des contraventions aux piétons qui le traversent au mauvais moment (poursuivre les automobilistes à vélo me paraît au-dessus de mes forces), mais le seul feu de circulation de la ville n'en est pas vraiment un. Il s'agit d'un feu rouge clignotant qui indique un arrêt obligatoire dans une direction et, dans l'autre sens, un feu jaune qui rappelle d'être prudent. Dans la direction où il faut s'arrêter, il n'y a jamais personne. Et dans l'autre, je ne peux quand même pas entrer dans la tête des gens pour vérifier s'ils sont en train de se souvenir d'être prudents au moment où ils traversent l'intersection !

Seize heures quarante-cinq. Je passe à nouveau devant le panneau-réclame de Serge Chassé, chirurgien-dentiste (« Si vous pouvez dire mon nom, votre dentier est bien ajusté ») pour refaire le tour du petit quartier résidentiel. Je ne sais même pas si l'on peut parler d'un quartier, il s'agit simplement d'un grand pâté de maisons. La plupart d'entre elles sont vieilles et mal entretenues, d'autres, plus récentes, ont adopté le style bungalow moche. Au centre du quartier, on retrouve une petite école primaire « réalisme québécois 1970 ».

Depuis mon tout premier tour de ville, je ne me fais plus trop d'illusions sur la présence de terroristes internationaux. Pourtant, ils auraient, me semble-t-il, tout intérêt à s'attaquer à une petite ville comme St-Perpétuel. S'ils veulent vraiment terroriser l'Amérique profonde, ils doivent arrêter de cibler uniquement les métropoles et montrer qu'ils sont capables de frapper le plus petit des villages pour y faire exploser la veuve et l'orphelin. Mais pour l'instant, tout est calme.

Seul fait à signaler, cette charmante jeune fille blonde avec de jolies taches de rousseur, qui marche sur le trottoir. J'aimerais bien lui parler, mais elle ne semble rien faire d'illégal. Je ne peux pas non plus, sans être ridicule, lui demander mon chemin alors que le village comporte moins de dix rues, ni lui demander l'heure, considérant l'immense roche *high-tech* que je porte au poignet. Alors, je choisis de l'ignorer, me réjouissant quand même que ce bled perdu compte parmi ses citoyens d'aussi charmantes créatures.

Mais à la sortie du village, tout à coup mon sang se glace : je croise une bête sauvage d'un type que je n'ai jamais vu auparavant. C'est noir avec une bande blanche et une grande queue touffue. On dirait… on dirait un de ces animaux qu'on trouve parfois écrasés sur le bord des routes… mais… vivant ! Une moufette vivante ! C'est la toute première fois que j'en vois une en trois dimensions et je dois avouer que ça donne un choc. Heureusement, la bête reconnaît rapidement ma supériorité et s'éloigne dignement.

Je reviens vers le village. C'est plus prudent.

Rien à signaler, tout est calme. Tout est calme sauf, tiens, ce jeune délinquant qui roule à vélo sur le trottoir. Voilà une affaire pour moi !

L'individu de race caucasienne doit être âgé d'environ douze ans et mesurer un mètre vingt. Il conduit un vélo de montagne dernier cri. Il arrive dans ma direction. Voici l'occasion rêvée de procéder à ma première arrestation.

– Hé !

L'individu ralentit. Je lui fais signe d'arrêter, mais il refuse d'obtempérer. Son cas s'aggrave. Dix-sept heures six, je passe en mode poursuite. Si j'avais un radio-téléphone, je signalerais la chose à la centrale, mais comme je suis à vélo, qu'il n'y a pas de centrale et qu'aucun téléphone cellulaire ne fonctionne dans la région, je vais me contenter de crier plus fort.

– Hé ! Arrête-toi !

Je pédale jusqu'à sa hauteur et lui coupe la route. Le contrevenant s'immobilise enfin. Il pose son vélo sur le trottoir et me regarde sans comprendre. Je lui signale son infraction.

– Savais-tu que les vélos doivent pas rouler sur le trottoir ?

– Savais-tu que je m'en fous ?

Il reprend son vélo et s'enfuit. Délit de fuite ! Je me lance à sa poursuite.

– Je t'arrête au nom de la loi.

– C'est ça, oui...

Il faut dire que je manque de crédibilité avec mon vélo. J'ai déjà vu des policiers à vélo tout à fait crédibles, mais ils possédaient un uniforme et un vélo sans le petit panier à l'avant qui fait davantage « Marinette s'en va cueillir des framboises » que « Pose ton flingue, salaud, ou je te troue comme une vieille passoire ! »

Le fuyard coupe à travers la pelouse d'une propriété privée. Avec ses pneus larges, il est avantagé sur ce genre de terrain. Je tente de le suivre, mais mes pneus de route, trop étroits, s'enfoncent dans la terre molle et je dois m'immobiliser. Un homme sort sur son perron.

– Aille le grand tarla ! Vas-tu me labourer tout le gazon ?

Je lui fais signe que je suis désolé et je m'empresse de déguerpir. À regret, je laisse le jeune délinquant s'en tirer pour cette fois. Peut-être qu'il aura eu sa leçon.

Allez, assez combattu le crime pour une première journée. Je rentre chez moi.

CHAPITRE 6

La télévision est une gomme à mâcher pour l'œil.

Fred Allen

Ma chambre ne comporte ni décoration, ni fauteuil, ni téléphone. Seule concession au confort : un petit téléviseur fixé au plafond, juste au pied du lit. Je l'allume, en redoutant un peu le genre de programmation que la chaîne régionale doit diffuser.

Ça alors ! Je tombe sur des images de l'assassinat de Kennedy ! Suivies d'images de Neil Armstrong marchant sur la Lune. Se pourrait-il que l'étrange phénomène spatio-temporel qui maintient cette ville dans le passé fasse en sorte que les ondes télé circulent en boucle depuis quarante ans ?

Mais mon étonnement est de courte durée. L'animateur, arborant comme il se doit une cravate à la toute dernière mode, annonce la fin de ce documentaire sur les grands événements du siècle dernier. Fin de l'enquête. Je prépare à souper.

Heureusement, mes habitudes culinaires se prêtent bien à la vie carcérale, puisque je me nourris essentiellement de *smoothies*. Leur préparation n'exige que dix minutes et on peut y mettre à peu près n'importe quoi. Je me félicite d'avoir apporté mon mélangeur et j'apprête rapidement une mixture brunâtre avec des ingrédients frais achetés à l'épicerie. Rien de gastronomique, mais le temps épargné justifie amplement le sacrifice gustatif.

Assis sur mon lit, adossé au coussin, je regarde les nouvelles. Encore les mêmes, comme si la planète entière était frappée d'immobilisme chronique : impasse des négociations de paix au Moyen-Orient, inertie sur le front environnemental, poursuite de notre dépendance au pétrole, quelques cataclysmes offrant des images spectaculaires, famine en Afrique, virus en Asie, les Américains sont toujours aussi gros et, sur la scène locale, confusion totale dans le dossier des fusions municipales. Il n'y a que la météo qui change. Et encore. On annonce du temps nuageux et pluvieux pour les prochains jours. Tout à fait dans la lignée de ce que j'ai connu depuis mon arrivée ce midi.

Je tente de changer de chaîne, mais j'ai beau faire le tour du cadran, il n'y a que de la neige. J'éteins.

Dans le silence qui suit, je suis pris d'une soudaine envie qu'il se passe quelque chose. On dirait qu'ici, encore plus qu'ailleurs, tout est pareil tout le temps et déjà, après moins de dix heures dans cette ville sinistre, je m'ennuie profondément.

Pour me donner du courage, je prends mon Discman et y insère un disque de la collection *Agir aujourd'hui, avec Antoine Robichaud.*

J'observe un moment son sourire de vainqueur sur la photo qui orne le boîtier : Antoine semble avoir plus de dents que la moyenne des gens et pointe le doigt d'un air enthousiaste en direction du photographe.

J'appuie sur *play* et m'adosse au mur pour recevoir ma dose quotidienne de motivation.

– Salut ! Ici Antoine Robichaud. Bravo de continuer d'écouter mes disques ou cassettes. Aujourd'hui, on va commencer par un peu de révision. Tu te souviens qu'on a discuté de l'importance de maximiser l'utilisation de ton temps. On a vu les techniques pour éliminer tous les instants improductifs de ta vie et je t'ai donné mes petits trucs pour faire plusieurs choses en même temps. J'espère que tu les mets en application. Ensuite, on a vu ensemble le principe d'inertie. Si tu te souviens bien, je t'ai démontré que, pour mettre la roue en mouvement, l'action précède souvent la motivation. Commence !

Fais quelque chose. L'appétit vient en mangeant. La motivation va venir. Mais attends-la pas ! L'idée d'avoir à travailler est pire que la tâche elle-même. Alors, réfléchis pas ! Fonce ! En passant, hésite pas à revenir sur les leçons précédentes si c'est pas cent pour cent clair. Ensuite, je t'ai donné mon petit truc de la hache. Tu te souviens ? Quand une tâche a l'air trop grosse, on fait quoi ? On la coupe en petits morceaux, c'est plus facile à digérer. Et on commence tout de suite l'étape un. Juste cinq minutes s'il le faut. Jusque là, ça va ? Bon. Ensuite, on a étudié les grands hommes qui doivent nous inspirer. Rappelle-toi les exemples. Penses-tu que le colonel Sanders serait devenu multimillionnaire s'il avait remis au lendemain l'ouverture de son premier restaurant ? Jamais de la vie. Et puis Aunt Jemima ? Si elle avait toujours refusé de mettre la main à la pâte, elle aurait pas sa photo partout sur les boîtes de crêpes. Aujourd'hui, on va passer aux choses concrètes. Je vais te donner un devoir très important. Tu vas poser un premier geste, faire un premier pas vers ton objectif. Parce que, je te l'ai déjà dit souvent, c'est pas juste parce que tu veux que tu vas. Surtout, oublie jamais cette phrase-là : « C'est pas parce que tu veux que tu vas. »

CHAPITRE 7

La vraie paresse, c'est de se lever à six heures du matin pour avoir plus longtemps à ne rien faire.

TRISTAN BERNARD

Six heures trente du matin.

Je croyais que les rues de St-Perpétuel étaient tranquilles le soir parce qu'une majorité des gens de la place, en bons campagnards, se couchaient tôt pour mieux se lever le matin et profiter d'un maximum d'ensoleillement afin d'accomplir les rudes tâches que commande la vie sur une ferme, comme de traire les vaches ou de… heu… je ne sais pas exactement ce qu'il faut faire le matin sur une ferme, mais je suis sûr qu'il y a beaucoup de travail. Pourtant, en faisant mon jogging matinal, je constate que les trottoirs sont encore pratiquement vides, comme à toute heure de la journée.

Je n'ai pas toujours été un grand sportif. C'est Antoine Robichaud qui m'a donné la piqûre. En brisant dès le matin mon inertie naturelle, je me mets dans le bon état d'esprit pour entreprendre la journée. Et plus je prends l'habitude de fournir l'effort initial, plus je le fais sans réfléchir.

Je sais que les sceptiques mettront en doute ses théories. Mais depuis que j'applique la méthode Robichaud, je perds beaucoup moins de temps. Je suis même, en toute humilité, devenu un genre d'expert en productivité. Et je parviens à rentabiliser chaque instant de mon existence. Plus de temps morts, je profite de la vie au maximum.

J'avais auparavant, sans succès, essayé d'autres méthodes de mon cru pour me motiver et me discipliner un peu. La plus simple, et sans doute la moins efficace, consistait à avancer ma montre de quinze minutes afin de créer une perpétuelle illusion de retard.

Le problème, c'est qu'on finit par savoir que notre montre a quinze minutes d'avance et on compense en arrivant volontairement quinze minutes « en retard ». Il faut alors avancer sa montre d'une bonne demi-heure. Ça fonctionne un court moment, jusqu'à ce qu'on s'habitue au fait que notre montre a une demi-heure d'avance et... vous devinez la suite. Bref, j'ai vite réalisé que cette méthode ne parvenait qu'à me rendre de plus en plus frustré par mes « retards » et de plus en plus confus quant à l'heure qu'il était réellement. Mauvaise idée.

J'avais vraiment touché le fond du baril quand j'ai découvert Antoine Robichaud. Ma paresse à l'École nationale de police avait atteint de telles proportions que mon retard devenait impossible à rattraper. Il faut dire que sur le plan scolaire, je n'ai jamais été particulièrement zélé. Je n'ai jamais compris cette obsession d'apprendre par cœur les montagnes de données qui se trouvent, de toute façon, déjà dans les livres.

Depuis la fin de ma carrière musicale, je traversais un long tunnel. Très peu de choses m'intéressaient, en dehors des films du club vidéo local et de l'observation des filles dans les bars. Je crois, pour être tout à fait franc, que j'ai dû ma survie à l'École uniquement à la complicité de certains instructeurs. En effet, rien n'unit les êtres humains comme de dégueuler ensemble dans une ruelle au petit matin (particulièrement quand la femme de l'instructeur en question ne doit surtout pas apprendre que son mari a passé la soirée avec une jeune demoiselle).

Mais l'examen de révision approchant rapidement, je constatais le monstrueux retard accumulé dans mes études. Il ne me restait plus qu'une option: lancer un appel à la bombe. Ils n'ont jamais su que c'était moi (étant donné le nombre de policiers sur place, à la limite, c'est un peu décevant) et l'examen fut retardé juste assez pour me permettre de rattraper mon retard.

Clairement, je devais me reprendre en main. J'ai découvert sur Internet la méthode Robichaud et elle m'a fait le plus grand bien. Finies les plages horaires improductives. Grâce à Antoine Robichaud, j'ai perdu l'habitude d'être constamment en retard, j'ai terminé mes études et, vous voyez, j'ai même décroché un emploi.

Un des trucs de Robichaud consiste à débuter la journée par un peu d'exercice afin que l'action (source de réussite) garde toujours un peu d'avance sur la réflexion (source d'excuses pour ne rien faire).

C'est sur cette pensée que j'atteins la limite du village. Les maisons se font de plus en plus rares. Le soleil brille et je commence à ressentir cette agréable euphorie du coureur en vitesse de croisière dont le corps musclé et bronzé, en parfait équilibre thermique entre, d'un côté, l'énergie calorifique provoquée par l'effort et, de l'autre, la légère fraîcheur des aubes campagnardes, bondit gracieusement sur la route, tel un félin s'élançant sur sa proie en déroute, tandis que, çà et là, au hasard du décor enchanteur, d'insouciants papillons batifolent dans les herbes hautes, sous le regard attendri de l'oisillon naissant, recevant de sa mère le lombric attendu qui…

Merde! On jappe derrière moi. Le bonheur est éphémère.

À en juger par le ton de son aboiement, il s'agit d'un gros chien. Ou, à la limite, soyons optimistes, d'un chihuahua baryton. J'ose à peine me retourner afin d'éviter de devenir à ses yeux une victime facile, le genre de gars inquiet qui se sauve pour ne pas livrer bataille. Les chiens savent lire ce genre de signal. Je risque tout de même un rapide coup d'œil derrière moi et je vois effectivement un gros chien noir qui se dirige clairement dans ma direction. N'y a-t-il donc que lui et moi qui ne dormions pas ?

J'accélère, tout en cherchant un moyen de semer l'animal qui se rapproche. J'aperçois un petit chemin de tracteur qui mène à un champ clôturé. La barrière est entrouverte. Je bifurque brusquement vers le champ pour distancer le monstre. Je suis moi-même impressionné par la vitesse de mon sprint. Si j'avais toujours, comme ça, un animal à mes trousses, j'atteindrais sûrement un niveau de forme physique étonnant.

Au moment où le molosse va me rattraper, je referme la barrière derrière moi. Il continue de japper, mais ne peut pas passer. Ouf... je l'ai échappé belle !

Il va falloir que je continue de courir dans ce champ si je veux éviter de repasser au même endroit. Je poursuis mon jogging. Mes battements cardiaques reprennent peu à peu leur rythme normal.

Je me trouve au sommet d'une jolie colline ombragée et je longe le ruisseau qui descend vers la route principale. Au bas de la pente, j'aperçois un bâtiment délabré au bord de la route. Il est entouré de dizaines de carcasses de voitures. Je m'approche et, en arrivant devant, je réalise qu'il s'agit d'une vieille station-service à l'abandon.

Puis, je distingue, stationnée juste devant le bâtiment, la vieille remorqueuse rouge que j'ai vue hier. Mon instinct de représentant de la loi m'aurait-il automatiquement poussé vers le repaire des brigands ? Je m'approche prudemment.

L'enseigne au bord de la route est tellement défraîchie qu'on devine à peine le nom du commerce, quelque chose comme « Maltais Auto ». Il n'y a plus de pompes à essence, mais on voit encore l'îlot de ciment où elles se trouvaient. Le vieux bâtiment possède deux grandes portes pour les voitures et une petite qui mène à un bureau. Toutes les portes sont fermées, l'endroit semble désert.

Six heures cinquante. Je m'avance avec prudence. J'examine la plaque de la remorqueuse. Elle est tellement sale que je n'arrive pas à la lire. Qu'à cela ne tienne, je connais deux ou trois trucs de Sioux. J'arrache la feuille d'une plante et m'en sers pour nettoyer la plaque. Voilà, je peux maintenant lire le numéro. Je le prends en note mentalement.

Je colle mon nez à la fenêtre du bureau. Rien à signaler, à part un désordre accablant.

Puis, je regarde à travers l'une des deux portes pour voitures. Rien à signaler à l'intérieur non plus ; seulement un fouillis d'outils et de machinerie d'entretien mécanique. Mais je remarque également une voiture : une Volkswagen Golf jaune dont une portière à l'air d'avoir été remplacée par une portière rouge suite à un accident. Ou bien est-ce une ruse pour qu'en cas d'utilisation de ce véhicule pour fuir les lieux d'un crime, les témoins se contredisent ? (« J'ai vu la voiture jaune quitter les lieux du crime. Heu… non, attendez… elle était rouge, heu… je ne sais plus monsieur le juge, je suis confus. »)

Je flaire un mauvais coup. C'est pourquoi je retiens aussi, à tout hasard, le numéro d'immatriculation de la Golf.

CHAPITRE 8

Le Titanic a été bâti par des professionnels,
l'Arche de Noé par des amateurs.

ANONYME

– Non, je vais vous expliquer encore une fois. Je suis le nouveau policier de St-Perpétuel et j'ai besoin de faire une vérification sur des véhicules que... Mais si c'est pas à vous, à qui voulez-vous que je le demande? J'ai pas d'ordinateur, aucun support de qui que ce soit... Écoutez, il me semble que c'est pas compliqué. Ça va prendre deux minutes... Ouais, merci beaucoup, vous m'aidez énormément.

Je raccroche violemment le combiné. Quel imbécile!

Assis à mon pupitre, je réfléchis un moment à mes conditions de travail: elles sont inacceptables.

Premièrement, je n'ai pas d'uniforme. D'accord, c'est le moindre de mes soucis. Après tout, je ne suis arrivé qu'hier et je peux très bien travailler sans uniforme, plusieurs policiers le font. Mais ces types-là exécutent des missions secrètes pour lesquelles l'anonymat est requis, alors que moi, je dois faire respecter la loi dans une ville où personne ne me connaît. Nuance.

L'uniforme de l'ancien policier ne me va pas du tout et on ne m'a rien fourni d'autre. Alors, je m'en suis créé un à partir de ce que j'avais dans ma garde-robe, c'est-à-dire pas grand-chose: un jean (quand même confortable et plutôt seyant), mon vieux t-shirt de l'École nationale de police (qui donne en même temps un indice sur ma profession), une veste et des souliers de course (plus utiles que la lourde botte de cuir pour poursuivre le voleur).

En portant ainsi les mêmes vêtements chaque jour (en les lavant régulièrement, bien sûr), je gagne, chaque matin, le temps que des gens moins efficaces consacrent au choix de leur habillement du jour. L'inspiration de ce petit truc m'est venue en observant le comportement de certains héros de bandes dessinées. En se levant le matin, Astérix ne se demande jamais ce qu'il va mettre. Il enfile spontanément son pantalon rouge, son débardeur noir et met son casque à plumes. Voilà tout. Au bout de l'année, l'économie de temps n'est pas négligeable.

Deuxièmement, personne ne m'aide. Même pas la Sûreté du Québec, qui dispose pourtant de banques de données sur l'immatriculation des automobiles. Je n'ai donc aucun moyen de savoir à qui appartiennent les véhicules suspects.

Troisièmement, à part le téléphone (qu'on est venu me brancher ce matin, seule lueur d'espoir), rien ne marche. Ni mon revolver, ni ma machine à écrire, ni même la clef du cadenas de mon ridicule vélo de clown. Elle n'entre pas dans la serrure du cadenas que le maire m'a fourni. Alors, tant pis, si je me le fais voler, ce sera sa faute. Et ça me fera toujours une petite enquête à me mettre sous la dent. C'est facile, j'arrête le premier clown que je vois.

Dix heures cinquante. Je traverse le corridor pour aller discuter de mes conditions de travail avec le maire. En arrivant dans le vestibule qui sert de salle d'attente à son bureau, je constate pour la première fois la présence d'une corpulente dame dans la quarantaine avancée occupant le pupitre, jusque-là vide, placé à l'entrée. Je la replace très bien : c'est l'acheteuse rebelle que j'ai croisée à l'épicerie, celle qui voulait combiner deux offres promotionnelles.

Diverses pièces d'artisanat d'un goût douteux encombrent les murs du vestibule : sans doute des cadeaux d'électeurs ou de personnages locaux influents qu'il serait gênant de mettre directement au panier, de peur que le donateur se pointe et s'offusque en constatant que son cadeau n'a pas été mis en valeur.

Mon imposante collègue affiche un air blasé. Je me présente.

– Fred Masson. Je suis le nouveau...

– Je sais.

– Ah! Vous c'est?...

– Bertrande.

J'observe discrètement un objet artisanal particulièrement laid accroché au mur. On dirait vaguement un poisson empaillé, mais recouvert de fourrure et dont on aurait coupé la tête. C'est hideux.

– Enchanté. Vous... faites quoi au juste?

– Tout sauf le café. Non, c'est pas vrai, je fais aussi le café. Je suis l'assistante du maire.

– Est-ce qu'il est là?

– Non.

– Ah bon. Heu... je peux vous demander un petit service?

– Tu peux demander.

– J'ai besoin de renseignements sur un véhicule. J'ai appelé la SQ mais...

– Compte pas sur eux... Mais je peux peut-être te renseigner.

– Excellent. Heu... j'ai noté les numéros d'immatriculation.

Je lui tends le papier. Elle ne le prend pas.

– Dis-moi juste la marque et la couleur.

Je ne peux résister à la tentation de flatter l'étrange fourrure artisanale accrochée au mur. J'essaie de déterminer si l'objet est d'origine animale, végétale ou extraterrestre.

– Heu... une vieille remorqueuse rouge, de marque...

– Guylain et Justin Maltais.

Je suis impressionné par la rapidité de sa réponse.
– Et on touche pas aux œuvres d'art.
– Oh... pardon.
Je redresse l'objet que mes caresses avaient légèrement déplacé.
– Surtout pas celle-là, c'est ma plus belle.
– C'est vous qui les faites ?
Bertrande feint l'humilité.
– Ouais, à temps perdu. Guylain et Justin Maltais. Deux frères. Les deux garagistes les plus paresseux que la terre ait jamais portés. Donne-leur une voiture à réparer, tu vas la revoir dans six mois...
– C'est parce que je les ai vus rôder autour du guichet automatique de...
Bertrande éclate de rire. Cette femme est un peu étrange. Je ne dis pas ça seulement à cause de ses habitudes de consommation ou ses goûts artistiques particuliers, mais voilà que je lui apprends que des citoyens (de son propre aveu peu recommandables) menacent d'attaquer la seule institution bancaire de la région et elle ne me laisse même pas terminer ma phrase.
– Ah ! Mon Dieu... Va falloir te mettre au courant de deux, trois affaires...
Il va falloir en effet qu'elle m'explique rapidement l'objet de son hilarité parce qu'elle commence à m'énerver.
– Écoute, ça fait deux ans qu'on n'a plus de policier, ça fait deux ans que ces deux drôles-là veulent voler le guichet de la banque. Tout le monde est au courant.
– Ah bon ?
– Mais ils le feront jamais.
– Ah non ?
– Ben non. Ils rôdent autour du guichet, ils peaufinent leur méthode. Au début, ça nous inquiétait de les voir aller. Mais, depuis le temps, on sait qu'ils le feront jamais.

– Pourquoi ?

– Ces gars-là sont incapables de passer à l'action. Ils remettent toujours leur vol au lendemain. Et le lendemain, c'est pareil. Deux ans que ça dure.

Je suis un peu agacé par cette révélation. Voilà que s'envole en fumée l'un de mes seuls espoirs de mener une enquête intéressante dans la région.

– Et on les laisse faire ?

– Bah… qu'est-ce que tu veux qu'on fasse ? Ils font rien de mal au fond.

Étrange. Mais tout cela n'explique pas la présence de cette voiture bicolore.

– Heu… j'ai noté aussi une Golf jaune avec…

– Avec une portière rouge, c'est Agnès Maltais. Leur cousine. Elle travaille au bureau de renseignements touristiques, juste à l'entrée de la ville.

Bertrande est fière d'en savoir autant.

– Ça, mon grand, la SQ aurait jamais pu te dire ça…

Je dois avouer que, malgré ses choix esthétiques douteux, elle s'avère pour l'instant une collaboratrice efficace.

CHAPITRE 9

Le voyageur voit ce qu'il voit.
Le touriste voit ce qu'il est venu voir.

GILBERT KEITH CHESTERTON

Pour asseoir mon autorité, on a déjà vu mieux que le vélo de la femme du maire, mais pour asseoir mon cul, pour l'instant ça va. Sa large selle est même plutôt confortable et, de toute façon, c'est mon seul moyen de transport. Alors, je ferme ma gueule et je pédale. J'essaie de rouler sur les trente centimètres de l'accotement qui borde la petite route régionale. Je ne me plains pas, il y a très peu de circulation et j'ai quand même l'avantage de faire de l'exercice.

Le bureau de renseignements touristiques se trouve un peu plus loin. Je suis dans la bonne direction, me confirme le panneau de signalisation brun que je viens de croiser, arborant un point d'interrogation blanc et une flèche. Tout petit, j'étais fasciné par ces panneaux. Je croyais que le point d'interrogation signifiait que personne ne savait au juste ce qu'il y avait dans cette direction. (« Vous pouvez toujours continuer votre chemin, brave voyageur, mais personne n'est jamais revenu de cet endroit. Vous voilà averti. ») Évidemment, je n'avais alors qu'une envie, suivre les points d'interrogation et être le premier à découvrir ces territoires vierges.

Quatorze heures vingt-deux. Je constate avec joie que, contrairement à ce qui se produisait toujours avec mon ancienne montre, aucune buée ne se forme sous la vitre, ce qui confirme encore une fois que j'ai fait le bon choix.

J'arrive enfin au bureau de renseignements. Il s'agit d'un tout petit bâtiment sis au bord de cette route déserte. Le stationnement est vide et paraît démesurément grand. Je dépose discrètement mon vélo à l'arrière du bureau. Je préfère que l'employée, dont je dois soutirer des renseignements et qui semble avoir un lien avec les deux criminels en puissance, ne voie pas mon moyen de transport. Je n'ai pas l'intention d'utiliser l'intimidation, mais il y a des limites à passer pour un plouc.

J'entre d'un pas assuré, ce qui ne donne rien puisqu'il n'y a personne. J'ai dépensé pour rien une partie de ma réserve d'assurance.

La pièce avant est encombrée de brochures touristiques. Sur le mur du fond, une carte de la région fait état des sites dignes d'intérêt. Un vrai gaspillage de fonds publics puisque je ne vois vraiment pas ce qu'un touriste, même naïf ou facilement impressionnable, pourrait trouver digne d'intérêt dans le coin.

Jusqu'à ce que j'aperçoive, surgissant de la pièce voisine, la jolie préposée aux renseignements. Tiens, c'est la fille que j'ai croisée dans la rue durant ma patrouille d'hier. Elle porte ce qui me semble être le costume traditionnel de la région (une étrange tunique de jute beige d'un style que je suppose ancien). Son regard vaut certainement à lui seul un détour de plusieurs kilomètres.

Je reste sans voix tandis qu'elle m'accueille avec un large sourire.

– Bonjour ! Bienvenue à St-Perpétuel ! Je m'appelle Agnès, je peux vous renseigner sur tous les attraits touristiques de la région.

Je suis captivé, hypnotisé par ses lèvres. Je les vois bouger, mais sans saisir le sens de ce qu'elles disent. J'en oublie pratiquement comment parler. Plutôt embêtant quand on veut mener un interrogatoire. L'École nationale de police m'a préparé à me comporter avec sang-froid dans presque toutes les situations stressantes : le type qui dégaine un fusil, le preneur d'otages, le terroriste qui menace de faire exploser sa bombe, mais personne ne m'a appris à me comporter intelligemment face au sourire qui désarme. Il y a une faille dans ma formation.

Je bredouille quelques mots :

– Heu... bonjour. Je...

– Si vous le voulez bien, nous allons commencer par le centre-ville, avec la maison centenaire du poète Rogatien Rinfrette. Vous connaissez Rogatien Rinfrette ?

– Heu... non.

– Si vous désirez mieux le connaître, nous vendons sa biographie pour vingt-quatre dollars quatre-vingt-quinze ou son œuvre intégrale pour le même prix et si vous achetez les deux vous économisez trente pour cent.

Je dois reprendre la maîtrise de cette conversation.

– Merci. J'ai juste besoin...

– On vous a sûrement parlé de notre microclimat ? St-Perpétuel, grâce à son milieu géographique unique, est la seule localité de la province à bénéficier de plus de soixante-huit jours de précipitations durant la saison chaude et d'un hiver particulièrement doux et ensoleillé.

C'est tout de même étrange qu'elle parle de « bénéficier » de la pluie. D'habitude, c'est le genre de truc qui fait fuir les touristes. Évidemment, si elle avait dit : « St-Perpétuel est la seule ville du Québec où il pleut tout l'été », ce serait moins vendeur. Ils ont transformé l'inconvénient en bénéfice. Je reconnais que c'est malin.

Il faut tout de même ne pas avoir grand-chose d'intéressant à offrir pour être fier de sa pluie. Souhaitons-leur que le réchauffement de la planète et les grands bouleversements climatiques mondiaux ne viennent pas troubler leur spécificité météorologique. Mais je ne parierais pas là-dessus, car je suis de plus en plus convaincu que la terre essaie de se débarrasser de nous, de nous éliminer. Nous sommes, après tout, ses parasites. C'est l'équivalent planétaire du chien qui secoue ses puces. Vous verrez, un jour un prix Nobel de science viendra confirmer ma théorie.

Mais ne nous laissons pas distraire par la destruction de la planète et revenons à mon interrogatoire.

– J'ai juste besoin de savoir…

Est-ce la nervosité ou simplement l'habitude de répéter le même discours jour après jour qui la pousse à me livrer sans reprendre son souffle l'ensemble de ses connaissances ? Elle m'interrompt encore une fois.

– Ah ! La vieille piste d'atterrissage de l'armée. Malheureusement, elle est fermée depuis 1982, mais les nostalgiques peuvent encore voir son emplacement au nord de la ville. Si ça vous intéresse, je peux vous la pointer sur la carte et…

Bon Dieu, est-ce que cette fille se tait parfois ?

– O.K., ça suffit ! Êtes-vous capable d'arrêter un instant ?

– Mais…

– Chut…

Je sors mon calepin de notes. Voilà. C'est ce que j'aurais dû faire depuis le début. Ça me donne une contenance.

– Je m'appelle Fred Masson et je suis policier. J'ai besoin de renseignements autres que touristiques.

Surprise, elle m'écoute silencieusement. C'est fou le respect que j'obtiens juste en mentionnant ma fonction.

– Premièrement, votre nom.

Elle me regarde en silence.

– Vous pouvez parler maintenant.

– Heu… Agnès Maltais.

Je fais semblant de le noter dans mon calepin (alors qu'il y était déjà inscrit), histoire de me donner un air de vieux limier et surtout d'empêcher ma main de trembler. C'est, après tout, le premier vrai interrogatoire de ma carrière.

– Possédez-vous une voiture de marque Volkswagen, de couleur jaune, avec une portière rouge ?

– Oui, Votre Honneur.
– Juste oui, c'est correct.
– D'accord.
– Saviez-vous que votre véhicule se trouve au garage des frères Maltais ?
– Ben oui.
– Et pour quelle raison ?
– Ben, c'est moi qui l'ai apporté là.
– Non. Pour quelle raison vous l'avez apporté ?
– Pour le faire réparer. Y a un cadran à changer.
– Un cadran ?
– Mais là, ça fait deux semaines qu'ils travaillent dessus… C'est long…
– Ah ! Un cardan.
– Si vous voulez.
Si j'étais garagiste, il me faudrait une stricte conscience professionnelle pour ne pas facturer une tonne de réparations inutiles à toute personne, cousine ou pas, qui viendrait me consulter avec aussi peu de connaissances en mécanique.
Un klaxon à deux temps venant de l'extérieur vient interrompre mon interrogatoire.
– Ah ! Excusez-moi. Ce sera pas long. Je peux ?
Agnès sort. Elle va rejoindre un petit homme mince à lunettes dans la trentaine, avec une queue-de-cheval rousse. L'homme ouvre les panneaux de sa cantine roulante pour présenter la marchandise.
Depuis le seuil de la porte, j'observe Agnès. En partie pour m'assurer qu'elle ne se sauve pas, mais surtout (bon, bon, d'accord, en fait presque exclusivement) pour zieuter sa jolie silhouette et sa démarche gracile.
– Salut Martin !
– Grosse journée ?
– Terrible. As-tu des sandwiches aux œufs ?
– C'est sûr. Œufs bruns ou blancs ?
– Œufs jaune et blanc sur pain brun.
Martin sourit et ouvre un compartiment. Tandis que j'avance vers eux, je vois Agnès lui dire quelque chose

à l'oreille. Puis, ils regardent tous les deux dans ma direction. Je m'approche pour ne rater aucun renseignement qui pourrait être utile à mon enquête. Et pour entendre ce qu'ils disent sur moi.

– Qu'est-ce qu'il veut savoir ?

– Je sais pas exactement.

Ne pouvant plus parler dans mon dos ni m'ignorer, le rouquin vient à ma rencontre.

– Martin Harvey.

Je serre sa petite main froide.

– Fred Masson. Agent Masson.

Une voiture avec une plaque du Vermont s'arrête dans le stationnement. Un couple de touristes obèses en descend. Agnès, qui semble surprise d'avoir à travailler, prend son sandwich et retourne à son poste pour les accueillir.

Martin me lance un clin d'œil.

– Tu veux tout savoir sur les frères Maltais ?

– Qu'est-ce que tu sais ?

– Ah... Je suis un spécialiste des frères Maltais...

Martin écrit quelque chose au dos d'une facture et me la donne.

– Passe me voir ce soir si tu veux. On discutera autour d'un repas. De la cuisine locale.

Je ne sais pas si je dois accepter, c'est la première fois que j'entends parler d'un témoin qui invite l'enquêteur à souper. Cette invitation me semble louche. Il tentera peut-être de m'empoisonner. Je dois refuser.

– Non, c'est gentil, mais...

– Allez ! Fais pas ton gars de la ville ! T'es de Montréal ?

– Oui.

Martin remonte à bord de son véhicule. Avant de démarrer, il lance :

– C'est rare les gens qui veulent venir travailler ici.

S'il a en plus l'intention de passer la soirée à se moquer de ma situation professionnelle, j'aime autant laisser tomber.

CHAPITRE 10

Quand on est aussi bon que moi,
c'est difficile de rester humble.

MUHAMMAD ALI

Dix-huit heures pile. Je me félicite de ma ponctualité. C'est l'heure que Martin avait inscrite sur le papier. Je n'ai pas jugé utile de calculer un léger retard pour me faire désirer. Il s'agit d'une rencontre d'affaires.

J'arrive à vélo à la hauteur d'une grande et belle maison victorienne, sise au pied d'une charmante colline parsemée de grands arbres. Un affreux gros chien noir vient tout de suite à ma rencontre. Tiens, c'est le chien qui m'a poursuivi pendant mon jogging de ce matin. À son attitude enjouée, je suppose qu'il a pardonné ma fugue, mais je demeure prudent et guette attentivement tout indice pouvant révéler un changement d'humeur.

Martin apparaît sur le perron et siffle.

– Ringo!

La bête me renifle puis retourne voir son maître. Martin me fait un large sourire.

– Il est pas méchant, juste un peu énervé.

Au fond, je devrais être reconnaissant à Ringo de m'avoir poussé vers les voleurs de banque. Je devrais peut-être même l'engager comme assistant.

Je pose mon vélo dans le gazon et monte sur le perron. La maison est superbe. Martin lit l'admiration sur mon visage.

– J'en ai hérité de mes parents l'an passé.

– Ah… désolé.

– Non, non, ils ont juste déménagé en Floride. Je l'ai rachetée pas cher.

Nous faisons le tour pour entrer par derrière. Je ne sais pas pourquoi on entre toujours par derrière ou par le côté au Québec. C'est à se demander pourquoi on met des portes en avant des maisons.

– Elle a juste un défaut. Mon terrain s'arrête après la serre. Le reste, c'est pas à moi.

J'admire le grand terrain ombragé en pente douce où coule un joli ruisseau qui se trouve derrière la maison. Ce paysage me rappelle quelque chose.

– C'est à qui ?

– Devine.

Ah ! Voilà, ça me revient. J'ai joggé dans ce champ ce matin. Et je comprends de qui l'on parle. Je ne m'en étais pas rendu compte, ayant pris une autre route, mais je réalise tout à coup que Martin est le voisin d'en arrière des frères Maltais. Martin comprend que j'ai compris. Je comprends qu'il a compris que j'ai compris. Bref, on se comprend.

Nous entrons dans une grande cuisine chaleureuse. Martin me présente sa femme Roxane, une petite brunette souriante, enceinte jusqu'au cou.

– Salut !

– Allô. Heu… c'est pour bientôt ?

– Dans deux mois.

Elle m'invite à m'asseoir. De toute ma vie, je n'ai jamais vu autant de sushis et de sashimis, accompagnés de sauces, de condiments et de saké.

– C'est ça, la cuisine locale ?

– Ben oui… Moi je vais prendre juste les légumes, à cause du bébé. Mais c'est mondial, le sushi, maintenant. Dix-sept pour cent de croissance par année et c'est pas fini.

Martin renchérit :

– C'est loin d'être fini.

Quand j'étais petit, tout le monde prévoyait que, dans le futur, on ne mangerait que des pilules, ce qui m'inquiétait un peu car j'avais de la difficulté à les avaler. Ma mère devait les écraser dans une cuillère et me les servir mélangées à de la confiture. Mais on goûte quand même la pilule à travers la confiture. C'est comme si on vous caressait d'une main pendant qu'on vous frappe de l'autre. Le plaisir est associé à la douleur, ce qui rend ensuite suspecte toute cuillérée de confiture. Je redoutais donc un peu l'arrivée du futur. Heureusement, on n'y arrive jamais.

Martin me tend un petit plat rempli d'une substance pâteuse verte.

– Et pour l'accompagner, du wasabi maison.

– Vous faites votre propre wasabi ?

– On le fait pousser dans la cour, juste en arrière. À titre expérimental, pour l'instant.

– Ah bon... Je savais même pas que c'était une plante...

J'ai touché une corde sensible. Martin prend un air savant.

– Le vrai wasabi, oui. Pas le wasabi que tu trouves dans les restaurants bon marché, qui est un mélange de raifort, de moutarde, de fécule de maïs et de colorant.

Roxane précise :

– Cent vingt dollars le kilo.

J'arrête de manger. À ce prix-là, j'ai peur qu'ils me présentent l'addition à la fin du repas. Après tout, je ne connais pas les mœurs locales. On semble bien prompt à inviter les étrangers, mais c'est peut-être pour mieux les arnaquer. Martin tente de me rassurer :

– Minimum. Continue de manger. Ça, c'est le prix de vente. À produire, ça coûte presque rien ! C'est ça qui est merveilleux...

Roxane complète le tableau :

– Il faut juste de l'ombre, un terrain en pente douce, idéalement un petit ruisseau, beaucoup de pluie, pas trop de chaleur et puis on laisse pousser, c'est tout. Et on a la chance d'avoir le microclimat idéal à St-Perpétuel.

– Oui, j'en ai entendu parler...

Ils parlent tous les deux du wasabi avec tellement d'enthousiasme qu'on dirait qu'ils veulent que je reparte avec une grosse provision, qu'ils me vendront probablement à prix fort vers la fin du repas, sans doute au moment où Martin m'entraînera subtilement dans le grenier pour me montrer sa collection d'armes anciennes et qu'il pointera vers moi, mine de rien, un mousqueton qui pourrait avoir été mal nettoyé et contenir encore assez de poudre pour m'exploser au visage. Je n'aurai alors pas le choix de leur laisser tout mon argent, incluant ma carte de crédit, qu'ils videront sur Internet avant que je n'aie eu le temps de revenir à vélo jusqu'au village pour prévenir Visa.

– Cinquante mille pieds carrés bien situés, ça rapporte cent cinquante mille dollars de wasabi en dix-huit mois. Sans trop d'efforts. Pas besoin d'acheter de quotas, comme pour le lait ou les œufs. Et on trouve facilement des acheteurs sur Internet.

Roxane ajoute :

– C'est délicieux, ça contient un antibiotique naturel et y en a même qui disent que ça pourrait guérir le cancer !

J'essaie de ne pas me montrer trop impressionné, pour pouvoir encore dire non au moment de l'offre. Martin me sert un autre verre de saké.

– Mais on veut pas t'ennuyer avec nos histoires. Alors, qu'est-ce que tu veux savoir sur les frères Maltais ?

– Il paraît qu'ils s'intéressent à la banque.

Ils échangent un court regard, puis me mitraillent d'une salve de répliques anodines, sans réaliser à quel point ils ont l'air d'un duo comique qui aurait répété plusieurs fois ce dialogue. On dirait qu'à force de vivre ensemble, ils ont fini par mettre au point une façon de compléter leurs phrases, comme si elles venaient du même cerveau.

– Ah, ça c'est clair !

– Tout le monde le sait.

– Demande à n'importe qui.
– C'est un secret pour personne.
– Mais ça risque d'être long.
– Ils ont un problème de procrastination.
– Ils remettent au lendemain. Tout le temps.
– Mais si jamais ça se fait, c'est sûr que c'est eux.
– Même pas besoin d'enquête ni rien. Si quelqu'un vole le guichet, tout le monde va savoir que c'est eux.
– Y a pas de doute là-dessus.
– C'est sûr.

Puis, Martin prend un air grave et me fixe directement dans les yeux.

– Dis-moi, Fred. Combien de temps tu veux rester ici ?
– Tu veux dire à St-Perpétuel ?
– Le dernier policier qu'on a eu ici est resté quoi…

Il se tourne vers Roxane pour la réponse. Et le duo reprend de plus belle.

– Au moins une vingtaine d'années.
– À moins que t'aimes les endroits tranquilles ?
– Où il se passe rien.
– C'est drôle, t'as pas l'air d'un flanc mou.

Je leur dois sans doute une explication.

– C'était pas mon premier choix. J'aurais préféré travailler à Montréal. Peut-être dans une unité spéciale. Mais ils recrutent pas en ce moment.

En fait, c'est une demi-vérité. Il est clair qu'avec mes résultats scolaires médiocres, même en pleine période de recrutement, ces gens-là ne daigneraient pas manipuler mon CV avec leur robot-démineur. Est-ce que ça fait de moi un moins bon policier ? J'entends bien prouver le contraire

Le duo Roxane-Martin est prompt à répliquer :

– Je veux pas me mêler de ce qui me regarde pas.
– On n'est pas comme ça.
– Mais il me semble que je te vois réaliser de grandes choses.

– Tu mérites un poste dans une ville où tu vas vraiment pouvoir te servir de tes qualités.

Évidemment. Je vois qu'ils perçoivent bien qui je suis. Martin prend une grande respiration comme s'il allait dire une longue phrase.

– Prends deux médecins. Le premier fait de la prévention pendant trente ans, le deuxième sort de l'école et fait une opération spectaculaire, je sais pas moi, il enlève un kyste gros comme un melon. Qui est-ce qui va se faire remarquer ?

– Ben, c'est clair…

– Qui on va inviter pour faire des conférences ? À qui on va offrir les postes les plus intéressants ?

– Je comprends mais qu'est-ce que vous voulez que je fasse ? Il se passe rien ici…

Roxane prend la relève.

– On vit dans un monde de spectacle. Oublie jamais ça. T'as juste besoin d'une opération qui va faire parler de toi. Un gros coup, une grosse arrestation.

– Je demande pas mieux…

– Qu'est-ce que ça pourrait bien être…

Ils réfléchissent. Moi, j'ai déjà trouvé, mais c'est normal, j'ai reçu plusieurs mois d'entraînement dans la détection d'activités criminelles. C'est devenu chez moi une seconde nature.

Je les aide un peu :

– La seule chose que je vois, c'est les frères Maltais.

Roxane semble inspirée par ma réponse. Lui avoir laissé un peu de temps, elle aurait sans doute trouvé toute seule, mais je tiens à avoir toujours un peu d'avance sur eux mentalement, histoire de bien maîtriser la situation.

– Ah ! Ce serait bon, ça, Fred. Imagine la une du journal : « Opération spectaculaire à St-Perpétuel. Fred Masson arrête deux dangereux voleurs de banque. »

Martin renchérit :

– Mais oui ! Fred déclare : « Je n'ai fait que mon devoir. » La municipalité veut lui donner une médaille.

– Franchement… vous exagérez.

N'empêche que ça me plairait. À peine sorti de l'école, être propulsé au rang de policier vedette, voilà un début de carrière à mon goût. On m'interviewerait à la télévision. Je serais toujours assis devant une immense bibliothèque remplissant tout le mur arrière de mon bureau. Ça ajouterait à ma crédibilité en laissant supposer que j'ai lu quelques-uns de ces livres.

Martin insiste :

– Le maire de Québec appelle Fred Masson pour le féliciter. Le chef de la police de Montréal lui offre de se joindre à une de ses unités spéciales.

Bon… ça suffit. Je vois bien qu'ils ont pleinement confiance en moi, mais je ne peux pas les laisser échafauder des scénarios outrageusement optimistes. Je dois les rappeler à la réalité.

– Non. Ça peut pas marcher.

– Pourquoi pas ?

– Y a aucune loi qui interdit de stationner devant une banque et de regarder le guichet automatique.

– Peut-être, mais tout le monde sait qu'ils veulent voler le guichet !

– Oui, mais pour les arrêter pour tentative de vol, il faudrait qu'ils essaient de le voler, le guichet.

– Ouais…

Roxane cogite un instant.

– Complot pour vol ?

– On pourrait, mais c'est très difficile à prouver. L'idéal, ce serait vraiment de les prendre sur le fait.

Martin semble réfléchir intensément.

– J'ai une idée. Supposons que le guichet disparaisse. Supposons. C'est qui les coupables d'après toi ?

– Vous voulez voler le guichet et faire accuser les frères Maltais ?

– Nous ? Non ! On discute là… On est dans les hypothèses. On fait rien d'illégal. C'est vrai, non ?

Martin et Roxane échangent un long regard inquiet. Je les rassure :

– Non, non. Je crois pas. On peut en parler, mais jamais je ferais ça.

Martin précise sa pensée :

– Ah, c'est sûr. Mais mettons que le guichet disparaisse. Tu pourrais faire une belle arrestation.

– À condition que ce soient eux les coupables…

– Quelle différence ça fait ? Ils veulent le faire. Tu sais ce qu'on dit : « C'est l'intention qui compte. » Non ?

– Oui, mais on dit aussi : « C'est pas parce que tu veux que tu vas. »

– Quoi ?

Martin et Roxane n'ont pas l'air de saisir de quoi je parle. C'est un peu normal, ils ne connaissent sans doute pas les disques d'Antoine Robichaud. Je ne sais pas s'ils sont distribués en région. Ça ne pourrait pourtant pas faire de tort au reste de la province que de se mettre à bouger au rythme de la métropole.

– C'est pas parce que tu veux que tu vas. J'ai… lu ça quelque part. Si tu veux faire quelque chose, il faut que tu commences à agir aujourd'hui. C'est dans la première leçon.

– La première leçon de quoi ?

Bon, j'ai trop parlé. Je n'aime pas tellement mentionner ma méthode de motivation à des gens qui n'y connaissent rien. Surtout à des inconnus. Ils se font tout de suite des idées fausses à mon sujet.

– Heu… c'est… une méthode de motivation dont j'ai entendu parler. Ça s'appelle « Agir aujourd'hui ».

Martin et Roxane sont intéressés.

– Pis ça marche ?

– Heu… je pense que oui. En tout cas, moi je trouve ça bien.

Bon allez, il faut que je leur apporte les disques d'Antoine Robichaud. Ils ne pourront juger que s'ils entendent Antoine leur expliquer. Déjà, Martin montre un intérêt certain.

– Penses-tu que ça marcherait sur les frères Maltais ?

– Y a pas de raison que ça marche pas.

Martin et Roxane échangent un autre de ces regards complices pendant lesquels ils semblent communiquer par télépathie. Martin lance une idée :

– Supposons qu'on aide les frères Maltais à guérir. On leur fait du bien, au fond…

Roxane le rejoint dans ses pensées et le duo reprend de plus belle.

– Ils arrêtent de tout remettre au lendemain, ils se mettent à « agir aujourd'hui ».

– Alors, supposons qu'ils aient envie de voler le guichet, ben ils vont vraiment le faire, non ?

– C'est logique.

– Opération spectaculaire. Tu les prends sur le fait. Un travail de policier exceptionnel. Bonjour les promotions.

– Wow !

Martin et Roxane lèvent leur verre à cette idée. Mais quelque chose me paraît louche. Mon flair de représentant de la loi me dit qu'il y a anguille sous roche.

– Oui, mais qu'est-ce que vous y gagnez, vous ? Ça vous amuse de voir vos voisins arrêtés par la police ?

– Non… On n'est pas comme ça. Mais, tu vois…

Martin s'approche de moi et pointe son index vers la fenêtre de la cuisine, qui donne sur la cour arrière.

– Cent mille pieds carrés de belle terre ombragée, en pente douce, avec un petit ruisseau, dans le microclimat idéal, quand on cherche l'argent pour payer l'avocat, on le vend pas mal moins cher, tu penses pas ?

Martin et Roxane attendent ma réaction. Je ne sais plus quoi penser de tout ça.

– Vous êtes vraiment…

– Brillants ?

– Hum…

– Géniaux ?

– Non. Malades.

CHAPITRE 11

Je ne compte pas le temps passé à attendre comme ayant vraiment été vécu. Je peux donc le soustraire de mon âge.

RITA RUDNER

Sept heures dix du matin.

Pour maximiser mon efficacité, j'accomplis souvent deux tâches à la fois. Par exemple, tout en faisant présentement mon jogging, j'écoute sur mon Discman une nouvelle leçon de la méthode de motivation d'Antoine Robichaud. Par cette habile gestion de mon horaire, je stimule tout à la fois mes capacités physiques et intellectuelles. Ultimement, j'espère ainsi parvenir à éliminer de ma vie tous les moments improductifs, comme Antoine le prône de nouveau dans sa leçon d'aujourd'hui.

J'ai bien peur que mon seul espoir véritable de quitter avant longtemps ce trou où jamais rien ne se passe consiste à considérer sérieusement le plan de Martin. Ce n'est pas mon premier choix, car ça demande beaucoup de travail. Pour transformer ces deux débiles congénitaux en machines à voler les banques, il me faudra beaucoup de patience et de persévérance. Je préférerais qu'il existe une solution plus facile, mais pour l'instant je n'en vois pas.

J'aurais préféré, par exemple, que l'un d'eux tombe raide mort sous mes yeux, victime d'un empoisonnement mystérieux dû à une substance encore inconnue, dont j'aurais pu retracer l'origine jusqu'au sein d'une obscure tribu amérindienne qu'on croyait depuis longtemps disparue, mais dont les descendants du grand chef reviendraient la nuit tourmenter les villageois. Je ferais la une des journaux sans trop me fatiguer.

Mais non.

D'un point de vue éthique, le plan de Roxane et Martin comporte aussi des lacunes importantes. Je vais devoir contourner certaines règles, oublier momentanément le code de déontologie que l'École nationale de police m'a inculqué. De sa devise « Savoir, Être, Agir », je ne retiendrai que la dernière partie.

Transformer des idiots inoffensifs en criminels notoires ne fait pas partie des activités qu'approuveraient mes anciens professeurs du Programme de formation en patrouille-gendarmerie. En fait, disons les choses comme elles sont : toute cette opération est immorale et illégale.

D'un autre côté, je ne dois pas me faire d'illusions. Si je reste ici à ne rien faire, personne ne va par magie découvrir que j'existe et m'offrir un poste intéressant. Il n'y a pas vraiment de raison pour que ma carrière aille plus loin ou mieux que celle du pauvre type qui a occupé mon poste pendant trente longues années. Et perdre trente ans de ma vie ne correspond pas du tout au plan que je me suis fixé. Il est clair qu'Antoine Robichaud serait d'accord avec moi.

D'ailleurs, faut-il tout voir de façon si négative ? Puisque c'est le destin des frères Maltais de voler la banque, comment pourrais-je moralement justifier de ne pas les aider à le réaliser ? J'en ai la capacité, j'ai donc le devoir d'agir.

Et puis, je m'emmerde. Voilà. Il faut que je sorte de ce trou.

CHAPITRE 12

Toutes les mères veulent que leur fils devienne président, mais aucune ne veut qu'il se lance en politique.

JOHN F. KENNEDY

Enfermé dans mon modeste poste de police, vêtu de mon uniforme autoassigné de policier sous-équipé, je tente désespérément de taper à la machine la liste des objets dont j'aurais besoin pour travailler avec un minimum d'efficacité.

Par la fenêtre, j'aperçois de l'autre côté de la rue les frères Maltais rôder autour du guichet automatique de la Caisse populaire. Ça devient banal. En quatre jours, c'est la quatrième fois que je les vois prendre leur élan, puis changer d'idée.

Comme d'habitude, ce n'est pas le bon moment. Rien ne se passe. Je ne me donne même plus la peine de les regarder. Après quelques instants, ils remontent à bord de leur véhicule et s'en vont.

J'ai à peine inséré une feuille blanche dans la machine, puis commencé à écrire le premier mot (Liste) que la lettre « S » reste coincée. Avec mon doigt, je replace le levier. C'est une des nombreuses lettres qui fonctionnent mal. Il y a aussi le « Q », le « P », le « A » et le point-virgule. J'ai remarqué que les lettres qui se trouvent aux extrémités du clavier se coincent plus souvent que les autres, peut-être à cause de l'angle plus prononcé du levier qui les actionne. Cette théorie me paraît sensée jusqu'à ce que je tente de taper un « B », qui pourtant se trouve en plein centre du clavier et qui à son tour bloque. D'autres lettres viennent s'agglutiner près de la bobine d'encre dans un embouteillage de leviers et la situation devient extrêmement frustrante puisque, non seulement je n'ai aucun équipement pour travailler correctement, mais en plus je n'arrive même pas dresser la liste de ce qu'il me faudrait pour justement travailler correctement! L'exercice se termine par un grand coup de poing libérateur sur le clavier, ce qui rassemble la majorité des leviers près de la zone de frappe, dans une configuration tellement serrée qu'il faudrait des pinces de décarcération pour les libérer.

Je traverse le couloir. Bertrande n'est pas à son pupitre. Tant mieux, personne ne pourra m'empêcher d'entrer directement dans le bureau du maire Blackburn. Je le retrouve derrière ses lunettes et son pupitre, plongé dans la lecture d'un dossier. Il sourit en me voyant entrer.

– Ah! Fred. Assieds-toi. Qu'est-ce que je peux faire pour toi?

– Écoutez, pour faire mon travail correctement, j'aurais besoin d'un minimum d'outils. J'ai pas d'ordinateur, pas de voiture, pas d'arme, pas d'uniforme et la SQ veut pas collaborer. Qu'est-ce que vous voulez que je fasse?

– Fred, il faut que je t'explique une ou deux choses.

Le maire se lève et pointe du doigt un graphique épinglé au mur, dont la courbe se dirige résolument vers le bas, au point qu'on devra bientôt, si la tendance se maintient, en dessiner la suite directement sur le mur.

– Les jeunes s'en vont. Les vieux meurent. Conclusion? La population diminue. Et non seulement l'assiette fiscale se rétrécit, mais en plus les dépenses augmentent. Comment veux-tu financer toutes nos activités avec à peine huit cents habitants?

– Mais…

– Deuxièmement, notre taux de criminalité est très bas. On parle de petits vandales, quelques conducteurs en état d'ivresse, une dispute conjugale par-ci par-là ou une petite guerre de clôtures entre voisins. T'es pas dans la SWAT, là… Alors, on a les moyens en conséquence.

Je cherche un argument pour le convaincre du contraire.

– Saviez-vous qu'il y a à peine deux heures, il a failli y avoir une attaque contre la Caisse populaire, juste en face ?

Le maire éclate de rire.

– Ah oui ? Ho ! Ho ! Les Maltais, je suppose ? Ces deux clowns-là sont pas foutus de s'attaquer à leur propre travail… alors, d'ici à ce qu'ils attaquent une banque… Ils sont juste bons pour transformer la région en dépotoir, avec leur maudit champ de vieilles ferrailles.

Mauvaise stratégie de ma part. Mais j'ai d'autres arguments.

– Mais la SQ pourrait au moins m'aider !

– Ah ça… C'est plus délicat. Tu sais, avec toutes les fusions, défusions, confusions… On sait plus trop qui fait quoi. Alors, pour l'instant, la SQ fait comme si on n'existait pas. Mais on va leur montrer, à Québec, qu'on est capables de gérer nos propres affaires ! Pas vrai ?

Je ne sais pas de quelle manière il s'attend à ce que je réagisse à sa déclaration. Dois-je lancer un grand hourra ou bien monter sur ma chaise pour exécuter la danse de la joie ? Sincèrement, je n'ai rien à branler de leurs petites disputes municipales. Ce qui m'ennuie, c'est que si la SQ ne nous reconnaît aucune légitimité comme force policière, mon poste actuel ne sera pas très impressionnant dans un curriculum vitæ.

– Donc, théoriquement, je suis même pas policier… juste un genre de gardien de sécurité…

– Laisse faire la théorie, Fred ! Arrive dans la pratique ! T'es notre force policière ! Hein ? Fais-toi z'en pas, on va t'en trouver un uniforme.

Le maire me donne une tape amicale sur l'épaule.

– Allez ! Servir et protéger. T'es capable !

Je perds vraiment mon temps dans cette ville.

Demain, j'entreprends l'éducation des frères Maltais.

CHAPITRE 13

J'ai tellement besoin de temps pour ne rien faire qu'il ne m'en reste plus assez pour travailler.

PIERRE REVERDY

– Si tu te présentes comme policier, tu fais tout déraper. T'es mon cousin de Montréal. C'est bon? Allez, pense à ta promotion!

Martin stationne la cantine roulante devant le garage des frères Maltais. Les grandes portes pour voitures sont ouvertes. La Golf jaune est toujours là, parmi d'autres voitures démontées à divers degrés. Il n'y a personne à l'intérieur.

Nous descendons du véhicule et faisons le tour du garage à la recherche des frères Maltais. Puis, nous les apercevons, insouciants, se prélassant dans l'herbe à l'ombre d'un grand arbre.

– Hé! Devine c'est quoi.

Justin émet un son nasillard plutôt agaçant. Guylain répond sans hésiter.

– Facile! C'est l'alarme des ceintures.

– Quel modèle?

– Heu... chez Chrysler?

– Ouais.

– Dodge.

– C'est bon. Dodge ou Plymouth. Les deux réponses sont bonnes.

– O.K... Dodge Ariès et Plymouth Reliant K.

– Excellent! Quelle année?

– Ben là... Fais-le donc encore?

Justin refait le son agaçant. Guylain risque une réponse.

– Heu… je vais tenter ma chance : 88 ?

– Excellent !

Ils se tapent dans la main tandis que nous arrivons à leur hauteur.

– Hé, les gars, vous avez pas des voitures à réparer ?

Guylain et Justin se retournent lentement, surpris par la question de Martin. Ils dévisagent l'inconnu qui l'accompagne. Martin me présente :

– C'est Fred, mon cousin de Montréal.

Les frères Maltais nous expliquent :

– C'est sûr…

– On dit pas qu'on le fera pas.

– C'est même ce qu'on va faire tout de suite après.

– On a commandé les pièces. Mais on peut pas aller plus vite que la livraison.

– Les pièces sont dans le catalogue pis le catalogue est commandé. Hein, Justin ?

Justin hésite.

– C'est pas toi qui devais faire ça ?

– On va le commander.

– C'est comme si c'était fait.

Après des millénaires d'évolution humaine, je suis toujours étonné de constater à quel point certains individus ont pu être laissés en plan, n'ayant reçu en héritage que le strict minimum neuronal pour survivre et se reproduire. C'est à cause de gens comme eux que les fournisseurs des sacs d'arachides que l'on offre à bord des avions se sentent obligés de spécifier dans les instructions qu'il faut ouvrir le sac avant de manger les arachides.

Les garagistes s'approchent de la cantine roulante et choisissent leurs sandwiches. Un peu à l'écart, j'observe discrètement la situation, m'amusant des efforts de Martin pour diriger la conversation vers un terrain propice.

– Vous savez, les gars, comme je disais tantôt à mon cousin Fred, je suis content d'avoir une cantine roulante.

Ce commentaire ne suscite aucun intérêt des garagistes. Martin poursuit :

– J'y ai rêvé longtemps, je les regardais, je me disais : « Non, pas aujourd'hui. » Et puis, un jour, je suis passé à l'action. J'ai réalisé mon rêve.

Guylain ne voit pas du tout où Martin veut en venir.

– C'est un beau témoignage.

Il est vrai que cette première tentative sentait un peu l'effort. Puis Justin se souvient tout à coup :

– Je pensais que tu voulais faire pousser du wasabi ? Sur notre terrain…

Martin est agacé par la question.

– Ouais, aussi, mais bon… J'ai réalisé un de mes rêves. Vous, en avez-vous, des rêves ?

Justin éclate de rire.

– L'autre jour, j'ai rêvé à Britney Spears.

Il rougit.

– On était au bord d'un lac, pis on se baignait, pis…

Guylain l'interrompt :

– Bon, bon… on veut pas le savoir.

– Non, attends, c'est là que ça devient intéressant. Britney m'a dit : « Pourrais-tu m'aider avec mon maillot, j'arrive pas à détacher m… »

Martin reprend la parole :

– Ce que je veux dire, les gars, c'est que s'il y a quelque chose que vous avez envie de faire, quelque chose que vous avez toujours voulu faire, ben faut pas attendre ; faut passer à l'action.

Les frères Maltais se regardent, sceptiques. Guylain s'étonne :

– T'es ben philosophe aujourd'hui…

Justin ajoute :

– Là, j'ai comme envie de manger un muffin aux bleuets…

Voilà tout de même un début d'introspection de sa part. Bien modeste, mais ne mettons pas la barre trop haute pour une première journée. Martin lui tend un muffin.

– Je suis sûr, Justin, qu'il y a des choses que t'aimerais faire ou que t'aimerais avoir faites, mais tu les fais jamais pour une raison ou une autre.

Guylain acquiesce.

– Te brosser les dents.

– Non ! C'est pas vrai…

Martin ramène l'attention sur Guylain.

– Toi, Guylain ?

Il réfléchit un moment.

– Casser la gueule des épais qui disent des niaiseries pendant que je mange.

Ce n'est pas gagné. Mais Martin, fin psychologue, a plus d'un tour dans son sac.

– Non, sérieux, les gars. Terminez la phrase : « Idéalement, je devrais… »

Guylain risque une réponse :

– Vendre tes sandwiches pis te mêler de tes affaires.

Martin se tourne vers Justin.

– Justin, toi ? Tu dois en avoir, des buts ? Des choses que t'aimerais faire mais que, peut-être, tu remets au lendemain.

– C'est pas grand-chose, mais…

– Vas-y.

– Bof… c'est sûr que… je pourrais faire plus d'exercice.

Justin montre ses muscles sous-développés. Martin et moi nous consultons du regard. Ce n'est pas la réponse attendue, mais nous tenons peut-être une piste.

Martin tente d'encourager Justin dans cette voie :

– Bon ! Tu vois ? Ça, c'est un objectif. Te mettre en forme. Qu'est-ce que tu vas faire ?

– Ben… rien…

– Pourquoi ?

Guylain et Justin cherchent la réponse dans les yeux de l'autre. Guylain avance une explication :

– Parce que t'es trop paresseux.

Martin vient aussitôt à la rescousse de Justin :

– Mais si c'est vraiment ce que tu veux, Justin, pourquoi tu le fais pas ?

– Bah… c'est ce que je veux, mais… ça risque d'être fatigant.

– C'est vrai, mais tu veux ou tu veux pas ?

– Hé ! C'est comme la chanson…

Tout le monde ignore Justin qui se met à chanter. Martin l'interrompt :

– Si tu veux faire du sport, t'arrêtes de te poser des questions, pis tu y vas. Tout de suite.

Guylain sourit.

– T'as entendu le monsieur, Justin ? Tout de suite !

Le visage de Martin s'éclaire.

– Hé, les gars… j'ai une idée ! Vous êtes super chanceux, justement mon cousin Fred est un entraîneur certifié.

Quoi ? Moi ? Me voilà promu entraîneur ? Enfin, puisqu'il le faut. Je confirme cette affirmation par un geste de la tête et un sourire crispé vers les frères Maltais.

Martin continue de vanter mes mérites :

– Si tu veux, il vous fait un programme d'entraînement vraiment *top notch* qui commence tout de suite, hein Fred ?

– C'est sûr. Faut pas attendre que l'envie passe. Faut y aller tout de suite. C'est ça le secret.

– Qu'est-ce que vous avez à perdre ? C'est gratuit en plus !

Guylain semble intéressé.

– C'est gratuit ?

J'ajoute une improvisation de mon cru :

– C'est un programme du gouvernement que je suis venu implanter dans la région. Pour mettre les Québécois en forme. O.K. ! Allez vous changer. Avez-vous des shorts ?

Guylain et Justin examinent piteusement leurs vieux pantalons sales.

Quelques minutes plus tard, me voilà à la tête d'un peloton de joggeurs essoufflés composé, en plus de moi-même (qui ai roulé mon jean jusqu'en haut des genoux), de Justin (qui a coupé son pantalon pour former des shorts, révélant ses mollets maigres et blancs et ses bas de laine gris) et de Guylain (qui a trouvé parmi les guenilles du garage un vieux bermuda à rayures lui donnant l'air d'un touriste est-allemand découvrant l'occident pour la première fois).

Guylain n'en peut plus. Complètement au bout du rouleau, il s'arrête pour souffler. Justin en profite pour arrêter aussi.

Je console les frères Maltais d'une tape amicale dans le dos.

– Bravo les gars ! Pour une première fois, c'est excellent !

CHAPITRE 14

Bon ! Assez parlé de moi. Parlons un peu de vous maintenant.
Alors ? Que pensez-vous de moi ?

ED KOCH

Je stationne la cantine roulante devant le bureau de renseignements touristiques. Je l'ai empruntée à Martin pour l'après-midi, avec promesse d'être de retour pour sa tournée de trois heures. Ce n'est pas encore le prestige de l'auto-patrouille, mais c'est mieux que le vélo de la femme du maire.

J'entre dans le petit bâtiment de bois. Agnès entend claquer la porte et revient de la pièce d'à côté en comptant une pile de dépliants. Elle s'immobilise en m'apercevant.

– Tiens, Votre Honneur...

– Fred. Juste Fred.

Elle est plus belle que jamais et je dois avouer que de toutes les St-Perpétuéloises que j'ai rencontrées, Agnès est, de loin, la plus charmante. Mais je ne dois pas me laisser distraire. Je suis d'abord ici pour enquêter. Il faut que je parvienne à saisir la psychologie des frères Maltais, ce qui les motive à attaquer la banque.

– Je peux te poser d'autres questions ?

– Mes cousins font pas partie des attractions touristiques de la région...

– Ah... Je suis pas un touriste.

Agnès pointe en direction de l'affiche posée au-dessus de la porte d'entrée, à l'extérieur de l'édifice.

– Ça dit : « Renseignements touristiques ».

Je n'aime pas avoir recours à la coercition, mais les circonstances l'exigent. Je m'apprête à lui montrer mon insigne de policier, puis je réalise que je n'en possède pas.

Mais à bien y penser, ça vaut mieux. Cette rencontre est bien mal partie. En essayant de ne pas me laisser aveugler par ses charmes, j'en oublie presque d'être courtois. En d'autres circonstances, je ferais pourtant des pieds et des mains pour passer un petit moment avec Agnès. Je dois changer de ton pour ne pas compromettre mon enquête.

Heureusement, j'ai tout à coup une meilleure idée.

– On fait un pique-nique ?

– Quoi ?

Oui, ma proposition est étrange et j'en suis le premier surpris. Mais il fait beau (c'est si rare à St-Perpétuel), je dispose d'un camion rempli de nourriture et on a tout l'espace requis. Je pointe vers la fenêtre.

– Avec la cantine roulante.

– Il est deux heures…

– Y a pas d'heure pour manger un muffin.

– Je croyais que la police, ça mangeait des beignes ?

J'allais répliquer que je ne suis pas un vrai policier, mais cette révélation ne m'aiderait pas beaucoup dans mon enquête. Il vaut mieux encaisser l'insulte. Je demeure stoïque et noble, un peu pour démontrer de la solidarité avec mes non-collègues, mais surtout parce que je ne sais pas quoi répondre. Puis, à ma grande surprise, elle accepte :

– O.K., on y va.

Parfois les filles sont simples et ça fait du bien.

Nous laissons le véhicule au bord de la route, près d'un champ qui semble propice au pique-nique. Puis, nous nous installons au pied d'un grand arbre, planté sur une colline qui domine le paysage, pour grignoter ce qu'on a pu trouver d'à peu près comestible dans le camion.

Agnès mange sans enthousiasme un muffin à la saveur artificielle d'érable.

– C'est à ton goût ?

– La bouffe, non, mais le reste, ça va.

Il est vrai que le panorama est beau, que le temps est bon et que la compagnie est agréable. Seule ombre au tableau, une abeille vient butiner mon carré aux Rice Krispies. J'ai l'impression qu'elle n'a pas bien compris son rôle. Les abeilles doivent butiner les fleurs pour produire le miel. Il faut respecter le cycle, sinon c'est le court-circuit. Ces abeilles paresseuses qui butinent dans les pots de miel ou sur les desserts sucrés, en plus d'être énervantes, ne contribuent en rien à l'augmentation de la quantité de miel dans le monde. Elles devraient être dénoncées à la reine.

Je chasse l'abeille qui finit par comprendre que je ne me laisserai pas manger le miel sur le dos. Elle repart enfin, me permettant de me concentrer sur mon interrogatoire :

– Tu peux laisser ton bureau comme ça, en plein jour ?

Agnès sourit.

– J'ai deux clients par jour. En plus, y a rien à voir à St-Perpétuel.

– Mais la maison du poète ?

– T'en as déjà entendu parler, toi, de Rogatien Rinfrette ?

– Non.

– Moi non plus. Mais fallait bien trouver quelque chose à dire.

– Alors, pourquoi le bureau ?

– Fallait dépenser la subvention. Même le costume traditionnel est pas vrai. Y a jamais personne qui s'est habillé comme ça. Regarde, y a même pas de poches…

En effet, un habit sans poches, c'est plutôt stupide. Il lui va bien quand même. En fait, n'importe quoi (même le vieux rideau de mon poste de police) irait bien à cette fille. Mais je me garde de la complimenter. Restons professionnels. J'ai des questions sérieuses à lui poser pour mener à bien mon enquête. Elle me regarde en souriant. Pour ne pas la voir, je me concentre sur mon carnet.

– Tu souris tout le temps ou je tombe sur tes bons jours ?

Bon, d'accord, cette question n'était pas pour mon enquête, mais je ne pouvais pas résister à la tentation de la poser.

– En fait… faut que je te dise un secret.

– O.K.

– C'est parce que ma bouche ferme pas.

– Quoi ?

– Quand je laisse mes lèvres au naturel, ma bouche reste ouverte. Alors, on voit mes dents et on pense toujours que je souris.

– Ah…

Je l'observe un moment en silence, méditant sur ce curieux phénomène.

– Dis-moi, tu connais bien les frères Maltais ?

– Depuis toujours. C'est pas des mauvais gars. Mais disons… assez paresseux.

– C'était des bons élèves ?

– Non. Ils doublaient tous leurs cours.

Le contraire m'aurait étonné, mais je tente de conduire mon interrogatoire objectivement et sans *a priori*.

– Leur père était un concessionnaire Lada. Ils passaient plus de temps au garage qu'à l'école. Un jour, ils ont fait faillite. La Caisse populaire a tout repris. Leur père est mort pas longtemps après.

Tiens, intéressant, ce lien avec la Caisse populaire. Voilà un début de piste. Ma première enquête progresse bien.

– Il est mort de quoi ?

– Je sais pas. Il fumait beaucoup, la faillite a dû l'achever.

– C’est peut-être pour ça qu’ils en veulent à la Caisse ?

– Je sais pas.

– Et le garage, ça marche ?

– Non. Y a personne qui veut aller là.

– Sauf toi…

– C’était juste pour acheter ma voiture. Vraiment pas cher. Mais c’est un citron. J’ai une garantie, mais pour faire la moindre réparation, ça prend une éternité.

– Qu’est-ce qu’ils font de leurs journées ?

– Je sais pas. Des fois, ils retapent des vieilles bagnoles presque finies. Ils les revendent.

– À des gens qui les connaissent pas.

– De préférence. Ils les envoient à l’extérieur de la région. Voilà. Tu sais tout. Toi, maintenant.

– Moi ? C’est moi qui mène l’enquête, c’est moi quoi pose les questions.

– C’est donnant, donnant. Si tu veux des réponses, il faut en donner aussi.

Encore une fois, je ne suis pas certain que mon code de déontologie approuverait cette pratique, mais au point où j’en suis… Je m’apprête à déroger à la plupart des règles de l’éthique policière, alors pourquoi pas une de plus ?

– Bon, qu’est-ce que tu veux savoir ?

– Pourquoi policier ?

– Ah ! Ça…

– C’est une longue histoire ?

– Non, c’est juste pas tellement intéressant.

– Raconte quand même.

En fait, ce n’est ni une longue histoire ni une histoire sans intérêt. La vérité, c’est que je ne sais pas quoi répondre.

Ce ne fut pas, pour moi, un rêve d’enfance. Tout au long de mon cours primaire, j’ai très peu songé à mon avenir. Mes parents ne m’ont jamais cassé les oreilles avec des questions comme : « Qu’est-ce que tu veux faire plus tard ? » Et je ne garde aucun souvenir d’avoir eu la moindre discussion avec eux au sujet de mes ambitions professionnelles.

Un jour, dans le sous-sol de la maison familiale, je suis tombé sur un très vieux livre intitulé *Que ferai-je plus tard ?* Un livre tellement vieux que la première rubrique de la première page (ordre alphabétique oblige) présentait la carrière d'*allumeur de réverbères* comme une voie d'avenir s'offrant aux jeunes hommes qui ont une inclination pour les réverbères.

J'ai donc, pendant quelques minutes, considéré devenir allumeur de réverbères, juste pour voir si j'aimais l'idée. N'ayant jamais vu ni de réverbère ni d'allumeur, j'avais peine à imaginer ce que deviendrait ma vie si j'embrassais une telle carrière. Est-ce que je devrais parcourir la ville avec une longue tige à l'extrémité de laquelle se trouverait un genre de lance-flammes ? Et s'il y avait des allumeurs de réverbères, il devait bien aussi y avoir des éteigneurs de réverbères. Est-il plus intéressant d'allumer ou d'éteindre ? Aurais-je, au cours de ma formation, à choisir une des deux options ou bien l'extinction du réverbère faisait-elle aussi partie des tâches de l'allumeur ? (« Tu as allumé, tu dois éteindre. C'est la dure loi de notre métier. ») Si c'est le cas, je devrais à la fois me coucher tard et me lever tôt, ce qui ne me laisserait que quelques heures de sommeil et très peu de vie sociale.

Puis, j'ai allumé la télé et je n'ai plus jamais repensé aux réverbères. Ce fut à peu près, pendant les premières années de ma vie, l'étendue de ma réflexion sur mon avenir professionnel.

Mais, après le *flop* de ma carrière musicale, il fallait bien penser à un plan B. Comme on m'a toujours dit que j'ai le physique de l'emploi (il ne me manquait apparemment que la moustache pour qu'on me décerne sur-le-champ un diplôme de l'École nationale de police), une distribution naturelle des rôles, basée sur le *look*, fit de moi un policier.

Ayant vu beaucoup de films dépeignant la vie trépidante d'agents internationaux, grands pourfendeurs de savants fous qui veulent détruire la planète et grands séducteurs de jolies demoiselles au décolleté plongeant croisées dans les casinos, je trouvais que le rôle de justicier me convenait tout à fait.

C'est beaucoup plus cet aspect du métier qui m'intéressait que l'idée de mener des enquêtes. À vrai dire, je n'ai jamais aimé les énigmes, les mots cachés, les casse-tête ou les romans où il faut démasquer le coupable. L'effort que ces exercices exigent m'a toujours semblé de l'énergie perdue. Puisque la réponse est dans le dernier chapitre, derrière la boîte ou dans le journal du lendemain, ne m'embêtez pas avec vos problèmes. Cette affaire ne me concerne pas.

– Heu… je dirais, en gros, parce que j'ai l'air d'un policier.

– Mmm… Si tu mets autant de temps à répondre à chaque question, on va être ici un moment…

– Désolé.

Agnès me dévisage.

– C'est vrai que t'as une tête de policier.

– Heu… merci.

– Un beau policier…

Ah non, s'il te plaît, Agnès ! Ne me fais pas de compliment. Je vais perdre toute ma concentration. C'est déjà assez difficile de mener mon enquête. Changeons de sujet. Tout de suite.

– J'ai déjà été guitariste dans un groupe. Tu connais Adam et les primitifs ?

Agnès cherche tout au fond de sa mémoire.

– Non.

– C'est pas grave. C'était un groupe rock. On n'a jamais vraiment, comment dire…

– Évolué ?

– C'est ça, oui.

Agnès parle dans sa bouteille de Perrier comme dans un micro :

– Malgré un début prometteur, Fred Masson a dû abandonner prématurément la scène musicale à cause, comme chacun sait, des méfaits de l'héroïne…

Je lui prends le micro.

– Non, on était juste mauvais.

– Hum…

– À un moment donné, on n'avait plus d'argent et le groupe s'est dispersé.

– Hum… Alors, t'es devenu policier.

– Pas tout de suite. J'ai fait plein d'autres boulots. J'ai même fondé une compagnie. Je pensais avoir la bosse des affaires…

– Ça a pas marché…

– Je voulais commercialiser une de mes inventions. Mais je me suis rendu compte qu'il y avait pas vraiment de marché pour ça.

– Qu'est-ce que t'as inventé ?

– Tu vas rire de moi…

– Non, non, je vais rire avec toi…

– C'est une sandale.

– Hum, hum… et puis ?

– Mais c'est une sandale spéciale.

– Oui, je m'en doute bien.

– On l'appelait « la sandale postnucléaire ». Quand tu marches avec, ça laisse une trace comme si tu avais six orteils.

Agnès ne semble pas comprendre.

– Pardon ?

– C'est comme une trace de pied, mais avec six orteils. Ensuite, les gens regardent la trace et se disent : « Tiens, y a quelqu'un avec six orteils qui est passé par ici. »

Après un moment de silence, elle éclate de rire.

– T'es pas sérieux !

– Je te l'avais dit que tu rirais de moi.

– Non… je trouve ça beau, ta naïveté…

Nos yeux s'attardent un peu trop les uns dans les autres, au point où je crains à nouveau pour l'objectivité de mon enquête. Mais j'aperçois tout à coup une nuée d'insectes autour de la tête d'Agnès.

Les abeilles paresseuses !

Elles sont de retour et semblent déterminées à faire respecter leur droit à piger directement dans les réserves de sucre de leurs congénères. Nous sommes l'obstacle sur le chemin de leur lutte ouvrière. Et puisque l'histoire nous enseigne que rien ne peut freiner la marche des travailleurs, nous avons tout intérêt à déguerpir.

Nous abandonnons sur place nos desserts sucrés afin de semer une partie des troupes (celles qui n'ont écouté que distraitement la séance d'information avant de partir en mission se diront : « Qu'est-ce qu'on est venues faire ici, encore ? Ah oui, c'est une mission pour trouver du sucre, en voici, alors je reste. »).

Puis, nous courons jusqu'à la cantine roulante. La ruse fonctionne à moitié. Une petite fraction des effectifs se rue sur la nourriture tandis qu'une majorité de militantes, les plus agressives, nous suivent jusque dans le véhicule.

Tandis que je démarre en trombe, Agnès tente de tuer celles qui ont réussi à s'introduire dans l'habitacle.

Il est trois heures. Je dois raccompagner Agnès et rendre le camion.

CHAPITRE 15

Archimède flottait mollement dans un bain mousseux quand il découvrit le principe de la poussée imprimée par un fluide sur un solide. Newton ronflait sous son pommier au moment où un fruit providentiel tomba sur son nez en lui dictant la loi de la gravitation. Les plus grandes découvertes ont pour mère la paresse.

ODILE TREMBLAY

Il pleut. Mais il paraît qu'il faut s'en réjouir: ça fait partie du patrimoine de St-Perpétuel. On vient de loin pour voir notre pluie. Du moins, c'est ce qu'on raconte au bureau du tourisme. Mais ces gens-là pourraient trouver du charme à une ville ravagée par les radiations atomiques (« Vous allez voir, c'est quand même pittoresque, tous ces enfants à trois têtes qui forment des chorales au coin des rues. »)

Pour tromper l'ennui, je tente de m'intéresser aux règlements municipaux. Une brique de trois cent vingt-huit pages comportant plus de lois que la ville ne compte d'habitants. J'y trouverai peut-être un vieux règlement oublié de tous, que je pourrais appliquer avec zèle pour enfin garnir mon tableau de chasse de quelques contraventions, à défaut d'une arrestation spectaculaire. Mais malgré mon entraînement dans le combat de la procrastination, j'ai beaucoup de difficulté à lire une page complète sans que mon esprit dérive vers d'autres pensées, notamment Agnès.

C'est sur la grande terrasse à l'arrière de la maison que Martin a hérité de ses parents toujours vivants que je tente d'attaquer ma brique, en compagnie des propriétaires des lieux. Ayant perdu l'habitude de la relaxation, je copie simplement le style de mes nouveaux amis : assis sur une chaise droite, j'ai posé mes pieds nus sur la balustrade et j'observe la pluie couler entre mes orteils. Contrairement à ce que j'aurais pu croire, malgré l'inactivité, mon niveau de stress demeure tolérable.

En tant que propriétaire du hamac, c'est Martin qui en a l'usage. Je ne suis pas sûr s'il lit son journal ou s'il dort. Il n'a pas parlé depuis un bon moment. Pas ronflé non plus.

Roxane se berce en flattant Ringo d'une main et son gros ventre de l'autre. Elle fixe l'horizon, sans doute à la recherche d'autres prénoms pour son garçon à venir. Ceux qu'elle nous a soumis jusqu'à maintenant (Rogatien, Erménégilde et Jean-Claude) n'ont pas soulevé d'enthousiasme.

Personne n'ose déranger le concert de la pluie.

Fatigué de relire le même paragraphe sans le comprendre, je mets de côté le code municipal pour ramasser les sections de journal qui sont tombées du hamac de Martin.

Je saute les manchettes sur la « récolte exceptionnelle » des producteurs de porcs (je ne savais pas que les cochons poussaient dans les arbres) pour lire un article sur un savant polonais qui a passé sa vie à mettre au point un robot capable de jouer au bilboquet.

Après vingt années de patients efforts, la créature n'arrivait toujours pas à jouer correctement. Puis, un jour, le pauvre homme a appris par hasard, en surfant sur Internet, que son robot était secrètement devenu champion d'échecs. C'en fut trop pour lui. Une balle dans la tête. Paf !

Roxane rompt le silence :

– C'est bien, rien faire.

Force est d'admettre qu'elle n'a pas tout à fait tort. Il y a longtemps que je n'ai pas goûté à ce plaisir. Martin ne lève même pas les yeux de son journal.

– Je lis le journal, c'est déjà quelque chose.

Un moustique se pose sur ma jambe. Cette fois, j'ai l'expérience avec les insectes. Je ne prends aucun risque et le tue sans hésiter. Tuer un moustique en début de saison est un geste particulièrement utile, car on élimine ainsi ses milliers de descendants potentiels.

Après un autre moment de silence, en reluquant l'imposant document auquel je n'arrive pas à m'intéresser, je lance à mon tour une observation profonde :

– Rien faire, c'est intéressant surtout quand on a quelque chose à faire.

Martin se tourne vers moi.

– On devrait être en train de faire quelque chose ?

– Non. Je dis juste que celui qui a rien à faire peut pas prendre autant de plaisir à rien faire. Il fait rien tout simplement parce qu'il a rien à faire.

– Il a pas le choix.

– Exact.

– Le plaisir, c'est de choisir de rien faire.

– Comme on fait maintenant.

Chacun réfléchit en silence. Martin pousse le concept un peu plus loin :

– Avoir quelque chose à faire mais choisir de faire autre chose, ça aussi, c'est agréable.

– Tu veux dire ?

– Plutôt que de rien faire, l'idée c'est de faire quelque chose, mais pas la tâche qu'on serait supposé accomplir. Ça aussi, c'est agréable.

– C'est vrai. Jouer au ballon, c'est encore mieux quand t'as des devoirs à faire.

Roxane acquiesce :

– Même faire du ménage, ça peut être intéressant, si ça peut éviter de faire des devoirs !

Martin complète sa pensée :

– Donc, le meilleur moyen de faire du ménage, c'est d'avoir des devoirs à faire.

Un moment de silence. Je mets en mots ce que personne n'osait dire :

– Donc, le meilleur moyen de voler une banque, c'est d'avoir une autre obligation à remplir.

Roxane arrête de se bercer. Martin pose son journal et s'assied dans son hamac. On tient quelque chose.

– Alors, le truc, c'est de leur donner à faire une tâche encore plus importante que leur vol. Ils vont faire le vol pour éviter d'accomplir la tâche importante.

Nous y réfléchissons un moment. J'ai un *flash* :

– Hé ! Je viens de lire un règlement de la ville qui interdit de laisser traîner des ordures. Je pourrais très facilement convaincre le maire de leur envoyer une mise en demeure pour qu'ils ramassent leurs vieilles carcasses de voitures.

Roxane approuve :

– Excellent. Ça deviendrait la tâche urgente à faire… donc à pas faire…

Martin renchérit :

– C'est tellement d'ouvrage ramasser tout ça que pour éviter de le faire, ils vont préférer faire le vol et se sauver. C'est bon, ça !

Nous continuons la réflexion chacun de notre côté. Antoine Robichaud dit souvent que pour réussir, il faut être convaincu qu'on mérite vraiment de réussir. Je me demande si les frères Maltais estiment qu'ils le méritent vraiment.

– Antoine Robichaud a dit que parfois les gens sabotent inconsciemment leur travail parce qu'ils croient qu'ils méritent pas de réussir.

– Donc ?

Roxane reformule ma pensée :

– Donc, il faudrait aussi s'assurer qu'ils se pensent tout à fait justifiés de faire le vol.

– Dans mon enquête, j'ai découvert que c'est la Caisse populaire qui a mis leur père en faillite. Il faudrait peut-être le leur rappeler ?

Martin semble avoir une idée.

– Attends… Mieux que ça…

Il feuillette son journal, retrouve la section Économie, puis nous montre fièrement l'article qu'il avait repéré.

– Écoutez. La Fédération des Caisses populaires a fait huit cent soixante millions de dollars de profit cette année… Les frères Maltais méritent bien d'en avoir une petite partie.

Roxane félicite son homme :

– C'est bon, ça !

Je crois qu'on tient quelque chose.

– Demain matin, apporte le journal chez eux, on va propager la bonne nouvelle.

– Ensuite, tu vas bien croiser le maire pendant la journée. Tu lui rappelles le règlement.

– C'est comme si c'était fait.

Martin affiche un large sourire.

– On est vraiment forts.

CHAPITRE 16

Si une tâche méritait vraiment d'être accomplie,
quelqu'un l'aurait déjà accomplie.

NIGEL H. MENDEZ

J'ai un boulet accroché à chaque pied. L'un s'appelle Guylain, l'autre Justin. C'est comme ça, jogger avec les frères Maltais. On va lentement, mais c'est presque plus fatigant que de courir à vitesse normale. Je suis étonné de l'assiduité dont ils font preuve et des efforts qu'ils mettent à tenir leur résolution.

Ringo a pris l'habitude de nous suivre. De tourner autour de nous, pour être plus précis. C'est finalement, mon plus agréable compagnon de jogging. Et sa présence m'assure de ne pas me trouver au dépourvu en cas de mauvaise rencontre.

Martin nous suit en cantine roulante c'est moins fatigant et ça donne un côté officiel à notre étrange convoi. Les gens que l'on croise nous saluent, croyant peut-être reconnaître des athlètes d'élite se préparant à représenter dignement la région dans une compétition sportive d'envergure. Mais il faudrait vraiment être myope pour penser ça. Nous ne représentons visiblement que nous-mêmes et notre ambition de mettre à exécution notre plan diabolique.

Enfin, je dis diabolique, mais au fond nous rendons service à ces deux demeurés en leur apprenant à agir aujourd'hui. Je ne m'attends pas à des remerciements, juste un petit geste en direction de la banque. Je m'occupe du reste.

Je profite du fait qu'ils sont essoufflés et qu'ils peuvent à peine parler pour leur présenter la méthode d'Antoine Robichaud. Comme Justin semble le moins rébarbatif des deux à la conversion vers un mode de vie actif, c'est à lui que je m'adresse d'abord.

– J'ai un disque qui pourrait vous aider dans votre entraînement. C'est super bon.

– Ah oui ? Britney Spears ?

– C'est mieux que de la musique. Ça s'appelle « Agir aujourd'hui ». Je vous en ai fait faire une copie.

– Ah…

Justin n'est pas encore convaincu, mais ne semble pas réfractaire non plus. Je suis certain qu'Antoine saura le mener dans le droit chemin et que Guylain suivra.

Pour la deuxième partie du plan, je cible Guylain, qui me semble le plus agressif des deux.

– J'ai lu dans le journal que la Fédération des Caisses populaires a fait huit cent soixante millions de dollars de profit cette année… C'est beaucoup d'argent. Des vrais bandits, tu trouves pas ?

Guylain grimace, mais ne dit rien. Je ne sais pas s'il est trop bête pour comprendre de quoi je parle ou s'il essaie de cacher son jeu. Juste pour m'assurer qu'il a bien compris le message, j'ajoute un dernier commentaire.

– En tout cas, c'est sûrement pas quelques sous de plus ou de moins qui pourraient faire une différence pour eux. Ça c'est sûr !

Toujours pas de réaction. Mais il accélère légèrement. Je sens que je viens de faire monter son taux d'adrénaline.

CHAPITRE 17

La culture, c'est comme les parachutes.
Si t'en as pas, tu t'écrases.

PIERRE DESPROGES

À Montréal, au Carré St-Louis, tout près de la rue St-Denis, il y a une sculpture que j'ai toujours trouvée laide et qui me fait penser à une grosse crotte de chien. Curieusement, devant le vide culturel sévissant à St-Perpétuel, j'y songe pratiquement avec nostalgie.

Ici, l'épicentre de l'activité culturelle et sociale se trouve au centre communautaire. C'est, en fait, le seul endroit un peu vivant de la région. On y pratique dans le même local, et souvent simultanément, le hockey cosom, l'artisanat, le chant, le ping-pong, l'échange de livres, le yoga et le dessin.

Ce soir, parmi un petit groupe assis en cercle sur un tapis autour d'un homme moustachu, j'ai la surprise d'apercevoir les frères Maltais. En m'approchant discrètement, je constate qu'il s'agit d'un cours d'espagnol. Les frères Maltais apprennent l'espagnol ! Je n'en crois ni mes yeux ni mes oreilles. Il semble que mon *coaching* et les disques d'Antoine Robichaud commencent déjà à porter fruit. Ils sortent tranquillement de leur torpeur et deviennent actifs. C'est un excellent signe. Je suis de plus en plus persuadé qu'ils viendront bientôt à bout de leur blocage et partiront avec le guichet. Peut-être vers une destination exotique ?

Je sens une main sur mon épaule. En me retournant, je tombe nez à nez avec un maire Blackburn souriant de toutes ses dents. Il est accompagné de Bertrande, qui brandit fièrement une bannière sur laquelle elle a patiemment brodé au petit point ce qui ressemble à un tue-mouches et une devise en latin : « *In patientia sapientia.* »

Le maire, un verre à la main, paraît d'excellente humeur.

– Fred ! C'est avec un trémolo dans la main que je soulève mon verre aux nouvelles armoiries de St-Perpétuel !

J'examine l'œuvre, cherchant à comprendre. Le maire m'explique :

– Le tue-mouches représente le gros bon sens et la patience. Une surface de frappe, un manche. C'est tout. Des piles ? Non. Des puces électroniques ? Oh ! non. Internet ? Jamais dans cent ans. Juste du gros bon sens. Mais d'une redoutable efficacité ! On attend le bon moment et bang ! C'est ça, St-Perpétuel. C'est simple, mais ça marche. La phrase en latin veut dire : « La sagesse, c'est de patienter. » Autrement dit, chaque chose en son temps. Qu'est-ce que t'en penses ?

À vrai dire, je trouve l'idée ridicule, mais j'ai d'autres chats à fouetter. J'aperçois Agnès qui me fait signe et j'en profite pour prendre congé du maire.

– Heu… c'est superbe. Excusez-moi.

Je me sauve avant que Bertrande n'ait la tentation de sortir une loupe pour me faire apprécier les détails de fabrication de son œuvre.

J'ai décidé de voir Agnès en dehors du cadre de mon enquête. Je ne vois d'ailleurs pas quel renseignement supplémentaire je pourrais tirer de son témoignage. J'ai donc maintenant la liberté de ne plus la considérer comme un témoin, mais comme un attrait local des plus intéressants.

Elle a troqué l'uniforme de travail pour de vieux vêtements qui lui vont tout aussi bien. J'hésite à l'embrasser, mais la question est vite éludée puisque, dès mon arrivée, elle me prend la main.

– Viens voir.

Elle m'entraîne vers une petite pièce attenante à la grande salle, remplie de toiles, de pinceaux, de pots de peinture, de chevalets. Elle pointe du doigt une douzaine de toiles accrochées au mur. Je fais le tour, observant chacune d'entre elles attentivement. Elles sont toutes inachevées.

– C'est de toi ?

Elle me fait signe que oui.

– C'est beau.

– Tu trouves ?

– Oui, enfin, c'est prometteur. Je peux en voir qui sont terminées ?

Agnès paraît surprise.

– Terminées ? Pourquoi ?

– Ben... je sais pas... Il me semble que d'habitude c'est comme ça. On commence une toile, on la termine, non ?

– Pourquoi ?

– Mais je sais pas ! C'est pas moi qui ai inventé le principe. C'est juste... normal. T'en as jamais achevé une ? Jamais ?

– Non.

Mais qu'est-ce qu'ils ont tous à ne rien finir dans cette ville ? C'est un virus local ou quoi ? Les frères Maltais qui ne viennent pas à bout de terminer leur vol, le maire Blackburn qui vit dans le passé, et maintenant Agnès qui refuse de terminer une œuvre. Ces gens-là me désespèrent. Antoine Robichaud l'a pourtant dit très clairement : il faut persévérer tant que l'objectif n'est pas atteint. « Quand on commence, il faut finir. »

– Tu les fais en série ?

– Non, non, je vois juste pas l'intérêt de les finir. Tu peux imaginer le reste dans ta tête.

J'aime autant ne pas commenter, de peur de commencer la soirée du mauvais pied.

– On y va ?

J'entraîne Agnès vers la cantine roulante. Au cours de notre conversation téléphonique, elle avait insisté pour que j'emprunte le véhicule afin d'aller voir le spectacle qu'on présente dans une ville voisine. J'ignore de quel genre de spectacle il peut s'agir, mais je soupçonne la présence d'un ciné-parc.

Je suis ses indications qui nous mènent sur la route régionale. Avant même d'arriver au village, elle me fait signe d'arrêter dans une station-service.

– On a assez d'essence.

– Arrête-toi quand même. Attends-moi dans le camion.

Elle descend, entre dans le petit commerce et en ressort avec un sac de maïs soufflé. En remontant, elle me donne les indications :

– Ferme bien ta fenêtre et fait le tour du bâtiment.

Nous arrivons devant un lave-auto.

– C'est ici. Mets ta roue avant dans le truc et éteins le moteur.

J'obéis. Bientôt, la porte du bâtiment s'ouvre et le mécanisme nous entraîne lentement dans le tunnel. Une pluie diluvienne s'abat immédiatement sur le camion. Agnès se tourne vers moi.

– *Pop corn* ?

– Heu… merci. C'est ça, ton spectacle ?

– C'est mieux que le cinéma, non ?

Le bruit est assourdissant. Nous sommes en pleine tempête. Le camion frémit sous le poids de l'eau. Une odeur humide s'infiltre dans la ventilation et parvient jusqu'à nous. Agnès est ravie.

– Attends, le deuxième acte va commencer.

Tout à coup, un monstre saute sur le devant du camion. Il remue ses tentacules dans tous les sens, tentant de s'emparer de nous. Heureusement, nous sommes protégés par une solide cage d'acier et de verre. Agnès verrouille sa portière et me fait signe de l'imiter.

– Laisse-le pas entrer !

Le monstre est maintenant sur le toit du camion. Puis, une pluie multicolore vient décorer nos vitres. Deux monstres plus petits passent à l'assaut et font mousser le tout. Puis, le déluge reprend de plus belle.

Agnès est aux anges. Je souris aussi. Nos visages se rapprochent et nos lèvres se collent naturellement, comme si le geste devenait inévitable. Je ferme les yeux un moment pour mieux savourer mon bonheur. Mais déjà, j'entends un bruit de séchoir.

Des vents chauds et violents viennent faire perler les gouttes d'eau sur le pare-brise et vibrer les essuie-glaces.

– C'est trop court…

– On recommence ?

CHAPITRE 18

Toute chose qui est, si elle n'était,
serait énormément improbable.

Paul Valéry

Sept heures dix du matin. Martin, Ringo et moi roulons vers le garage en cantine roulante, un peu en retard, mais fin prêts pour le jogging matinal des frères Maltais. Personnellement, j'aurais simplement traversé à pied le champ qui sépare leurs deux terrains, mais Martin tient à prendre son véhicule, quitte à faire un grand détour.

Chaque matin depuis un mois, c'est le même rituel. Si notre premier entraînement n'avait duré qu'à peine dix minutes, nous courons maintenant régulièrement plus d'une demi-heure. Il devient de plus en plus facile de motiver les frères Maltais. Ils m'ont même réclamé des souliers de course, que nous sommes allés choisir ensemble au centre commercial régional et dont la facture fut prise en charge par mon « Programme de mise en forme ». Il faut bien semer un peu si l'on veut récolter.

Je les vois toujours régulièrement préparer le vol du guichet. Chaque fois, j'ai espoir de les voir passer à l'action. Ayant écouté et mis en pratique les enseignements des douze premiers disques d'Antoine Robichaud, ils ont maintenant toute la volonté nécessaire. On le remarque même dans leur attitude. Ils ont plus d'énergie et perdent moins de temps en rêvasseries de toutes sortes. On les voit moins souvent couchés dans l'herbe, taquinant l'écureuil et plus souvent dans leur garage, réparant des voitures.

Non seulement le maire a adoré mon idée de leur envoyer une mise en demeure pour nettoyer leur terrain, mais c'est visiblement avec beaucoup de plaisir qu'il en a lui-même rédigé le texte avant de confier à Bertrande le soin d'expédier la lettre.

D'une journée à l'autre, les frères Maltais seront confrontés à l'obligation de travailler. Plutôt que de s'attaquer à cette tâche qui leur apparaîtra comme une montagne, ils choisiront, je l'espère, de passer enfin à l'action. Il suffirait d'un tout petit geste de plus, d'un minuscule changement dans leurs habitudes pour qu'ils se retrouvent instantanément en possession d'un magot considérable, fuyant vers la frontière ontarienne. Comment pourraient-ils résister à cette tentation ?

Mais avant même qu'ils aient fait dix kilomètres, la cantine mobile les aura rattrapés pour les ramener à l'hôtel de ville. Après une enquête dont les conclusions ne surprendront personne, ils passeront assez de temps sous les verrous pour me permettre de poursuivre ma carrière dans une grande ville où mon talent de fin limier sera rétribué à sa juste valeur.

Tiens, parlant des frères Maltais, les voici qui joggent vers nous. Ils nous saluent de loin. Je n'en crois pas mes yeux.

– Ils nous ont même pas attendus !

– Bravo ! Ça veut dire que t'es pas mal comme entraîneur !

Martin arrête le véhicule à leur hauteur.

– Déjà en route ?

– Désolé, les gars. Mais vous étiez en retard. Et on a un horaire chargé aujourd'hui.

Martin et moi osons à peine échanger un regard de peur d'éclater de rire. Les frères Maltais ont « un horaire chargé ». On se pincerait pour moins que ça. Martin leur donne sa bénédiction.

– Pas de problème. Allez, on se reprend demain matin. Ciao !

Je dois avouer que je suis assez fier de mon coup. Même si j'ai agi dans un but criminel, il faut admettre que j'ai réussi à faire des hommes actifs de ces deux pâtes molles. D'ici un mois, j'aurai quitté la région pour des cieux moins pluvieux et plus rien n'empêchera Martin de devenir le roi du wasabi.

CHAPITRE 19

N'oublions jamais que la probabilité d'un miracle,
bien que très mince, n'est pas égale à zéro.

NIGEL H. MENDEZ

Treize heures cinquante. Assis dans l'herbe, à l'ombre d'un arbre, je gratte ma guitare. Ayant remboursé quelques dettes, j'ai pu récupérer une de mes guitares, confiée à un prêteur sur gages de Montréal. Mon cousin a eu la gentillesse de me la faire parvenir par autocar. J'ai pris l'habitude d'entamer l'après-midi avec une petite séance de grattage. Par temps pluvieux, je m'assieds sur la véranda de Martin, mais quand il fait beau, je m'installe en plein champ, ce qui me permet d'apprécier la globalité de la vallée qui isole St-Perpétuel des grands ensembles météorologiques régionaux et contribue à produire son microclimat.

Je tente une version acoustique de « Black Dog » de Led Zeppelin. Mais je constate que cette pièce n'a pas été écrite pour la guitare sèche. Par contre, la chanson « Thank You », du même groupe, s'y prête à merveille.

If the sun refused to shine, I would still be loving you.

When mountains crumble to the sea, there will still be you and me.

Je n'ose pas chanter trop fort de peur de déranger Agnès qui lit un peu à l'écart, complètement absorbée par un roman de science-fiction. Personnellement, j'avoue que ce genre littéraire m'assomme un peu. Principalement parce qu'on y suppose toujours que, dans le futur, l'humanité aura beaucoup de budget pour se payer des fusées, des bases lunaires et des patrouilles du cosmos. Moi je vois plutôt le futur comme un temps où on sera tous fauchés et où le gouvernement n'aura plus un cent à dépenser. Quand on n'arrivera même plus à payer les pensions de vieillesse, où pendra-t-on l'argent pour coloniser d'autres galaxies ? Mais ça n'a pas l'air de troubler Agnès.

L'autre raison qui m'incite à la discrétion, c'est pour qu'elle ne croie pas que je joue cette chanson pour elle. Trop me lier avec Agnès risquerait de me détourner de ma mission, de compromettre ma motivation à atteindre le but que je me suis fixé : mettre ses cousins en prison et m'en retourner à Montréal. Antoine a souvent parlé de l'importance de toujours garder les yeux fixés sur son objectif, contre vents et marées. Je ne vais pas me laisser distraire si près du but.

Je dépose Agnès au travail et rends le camion à Martin pour sa tournée de trois heures. Puis, en passant devant le garage des frères Maltais, je frise la crise cardiaque.

CHAPITRE 20

Il y a mieux que vite : plus vite.

AMERICA ONLINE

Les frères Maltais ont fait le grand ménage. Toutes les carcasses de voitures ont disparu. Toutes !

À perte de vue, tout est propre. Ils sont même en train de repeindre l'édifice ! Un troisième homme est là et les regarde travailler.

Je descends du véhicule pour mieux observer la scène. Guylain vient m'accueillir.

– Hé ! Salut *coach* !

– Mais qu'est-ce que vous faites ?

– On a reçu un ultimatum de la Ville pour faire du ménage. Alors, on a commencé à nettoyer et puis, une fois partis, ben… on pouvait plus s'arrêter.

– Vous avez tout nettoyé…

– Mieux que ça… on a décidé de passer à l'action, de faire un truc auquel on pensait depuis longtemps.

– Ah oui ?

Mon rythme cardiaque grimpe en flèche. Ont-ils enfin décidé d'attaquer la banque ?

Remarquez que je ne vois pas pourquoi cette décision les pousserait à repeindre leur garage. La lettre de la Ville ne les oblige qu'à ramasser leurs vieilles carcasses de voitures. Il n'y est pas question de peinture. À moins que les frères Maltais aient maintenant, grâce à nos soins, tellement d'énergie qu'ils ne savent plus s'arrêter.

– Alors, tant qu'à faire, on en a profité pour démarrer une nouvelle entreprise.

Quoi ? Qu'est-ce que c'est que cette idée stupide ? Depuis quand les frères Maltais songent-t-ils à démarrer une nouvelle entreprise ? Il se passe quelque chose d'étrange.

L'homme qui les accompagne, un petit chauve dans la soixantaine, me fait un large sourire et ouvre les bras vers le ciel comme pour me faire signe qu'il s'agit bel et bien d'un miracle. Il s'approche de moi et me serre la main.

– Aurèle Lavoie, curé de la paroisse. Enfin… j'ai aussi la charge de trois autres paroisses dans le coin.

– Fred Masson.

– On me dit que vous êtes derrière ce petit miracle ! Vous pouvez être fier, félicitations ! Pour un policier, vous avez une âme magnifique !

Guylain est surpris d'entendre ce commentaire.

– Pour un policier ?

Sentant le malaise, le curé Lavoie tente de se rattraper.

– Heu… Ce que je veux dire, c'est qu'il va bien au-delà de l'appel du devoir de policier. Et c'est très bien.

Justin me lance un regard méfiant.

– T'es policier, toi ?

Qui nous a envoyé ce prélat de campagne qui risque de bousiller tous nos plans ? J'improvise un peu maladroitement une réponse destinée à minimiser l'importance de l'événement.

– Oh ! C'est tout nouveau, le poste était libre. Je me suis dit : pourquoi pas, pendant que j'implante mon programme. Mais qu'est-ce qui se passe ici ?

Pendant que Justin se remet tranquillement de ses émotions, Guylain brûle d'envie d'expliquer :

– C'est une vieille idée qu'on avait depuis longtemps et on s'en est souvenu en écoutant Antoine Robichaud. Il paraît qu'à Cuba, ils manquent de voitures. Et nous, on achète déjà les voitures usagées de la région pour les retaper. Sauf que personne en veut. Alors, tout ce qu'on a à faire, c'est les envoyer à Cuba. Génial, non?

Non! Pas du tout génial! Pas du tout. C'est ça, le résultat de mes efforts? J'ai accompli tout ça pour ça? Après tout ce que j'ai fait pour les frères Maltais, les voilà devenus honnêtes? C'est la catastrophe!

– Vous êtes pas sérieux...

– Ils leur vendent déjà des vieux poêles et des vieux frigos. Alors, pourquoi pas des voitures?

– Et vous allez les transporter comment jusqu'à Cuba?

Voilà une considération pratique qui devrait freiner un peu leur enthousiasme. Guylain et Justin arrêtent de peindre et se consultent du regard. Guylain tente une réponse:

– On sait pas encore, mais on verra. Hein? Une chose à la fois. Comme dirait Antoine Robichaud, il faut diviser la tâche en petits morceaux et commencer par le commencement.

L'abbé Lavoie en rajoute:

– Celui qui attend les conditions parfaites ne fera jamais rien. Ecclésiastes 11:4.

Je suis agacé par le zèle de ce curé.

– Mais voyons! Fidel Castro a presque cent ans. S'il meurt et que le pays devient capitaliste, vous avez plus de *business*. Avez-vous pensé à ça?

Guylain me fait un clin d'œil.

– Ah... Je sais ce que t'es en train de faire... Tu veux tester notre volonté...

Il se tourne vers son frère.

– Il veut nous tester, comme dans le disque... Mais on va pas se laisser décourager, hein Justin?

– Tu peux être sûr de ça, *coach*. On a appris ta leçon.

– Tout ça, c'est grâce à toi.

Je retourne vers mon véhicule. Guylain tente de me retenir.

– Hé ! Reste pour une bière !

– Non, merci. J'ai du travail.

Je claque la porte de la cantine roulante et démarre en trombe.

Je trouve Martin dans sa serre, remplie de petits plants posés sur une longue table basse, éclairée par des tubes fluorescents. Il les regarde avec amour et les manipule tendrement. Quand je ne suis pas là, je suis sûr qu'il leur parle.

Rayonnant presque autant que ses tubes fluorescents, il m'annonce fièrement la bonne nouvelle :

– Hé ! J'ai reçu tous mes plants ! J'ai plus de fonds de retraite, mais j'ai les plants.

– Bravo ! Es-tu sûr que tu peux pas les faire pousser dans la serre ?

– Ben non ! On les garde ici en attendant de les planter. Mais ça va seulement grandir dehors, dans la bonne terre, près du ruisseau, avec un tout petit peu de soleil et beaucoup de pluie.

– Alors, y a juste un petit problème.

CHAPITRE 21

La principale cause des problèmes, ce sont les solutions.

ÉRIC SEVAREID

Assis autour de la table de leur grande cuisine, je partage mon inquiétude avec Martin et Roxane :

– Ils sont en train de devenir honnêtes !

Martin frappe du poing sur la table.

– Tabarnak !

L'heure est grave. Tout le monde réfléchit un moment. Roxane tente de mettre les choses en perspective.

– Bon, qui est-ce qui est au courant ?

– Pas grand monde. Juste le curé.

– C'est ça qui est important. Il faut que le vol se fasse pendant qu'on peut encore les accuser.

Martin se mord les lèvres.

– Mais ils ont vraiment pas l'air parti pour le faire bientôt…

Roxane réfléchit un court moment et semble être arrivée à une conclusion. Elle me la lance comme une évidence :

– Il nous faut absolument le terrain. On va devoir les aider.

– Quoi ?

– Ben… les aider. S'arranger pour que le vol se fasse.

– Tu veux dire le faire nous-mêmes ?

– On n'a pas trop le choix.

– Un instant. Oubliez pas que je suis policier, ici. Je vais quand même pas participer à un vol de banque…

Martin ne semble pas voir de faille dans la logique de sa partenaire.

– Ben justement. T'as envie d'être policier ici toute ta vie ?

Je reste silencieux un moment, ne sachant que répondre. Roxane en profite pour nous expliquer ce qu'elle a en tête :

– C'est facile, tout le monde sait qu'ils veulent le faire. Alors, on le fait discrètement à leur place, on sème des indices qui mènent chez eux, la police les arrête et puis c'est tout. Au fond, pourquoi se casser la tête ?

Martin semble sur la même longueur d'onde.

– Si on agit tout de suite, c'est encore possible. Mais on peut pas attendre.

Roxane tente de me rassurer :

– Tu vas voir, Fred, j'ai un plan. C'est infaillible.

CHAPITRE 22

Un pessimiste est quelqu'un qui a trop écouté d'optimistes.

DON MARQUIS

Tout l'équipement est posé sur la table de la cuisine pour une vérification finale par Roxane qui a tout organisé : lampes de poche, gants, cagoules, deux mètres de corde, quatre coupes à vin en plastique, deux bouteilles de vin rouge dont l'une porte un petit « x » discret dans le bas de l'étiquette.

Martin et moi portons des vêtements évoquant le style habituel des frères Maltais : chemises à carreaux, pantalons de travail et bottines. De loin, on pourrait nous prendre pour eux : un grand costaud et un petit maigre. Surtout si nous portons une cagoule et nous déplaçons dans leur remorqueuse. Même pas besoin qu'il fasse bien noir pour que l'illusion soit parfaite.

J'essaie de me rendre utile :

– Faudrait qu'on synchronise nos montres.

– Pourquoi ?

– Ben… Pour avoir la même heure. J'ai sept heures dix-huit, toi ?

– C'est quoi ton obsession de l'heure ? J'ai sept heures quatorze.

– Alors, avance de quatre minutes.

– Non, moi j'ai l'heure juste. Toi, recule, t'as quatre minutes d'avance.

– Non, avec une montre numérique, c'est pas évident de reculer. Toi, avance de quatre minutes.

Roxane met fin à la discussion :

– Bon, on va pas passer la soirée là-dessus ! Vous allez être ensemble tout le temps de toute façon. On va revoir le plan d'attaque. À huit heures, vous arrivez chez les frères Maltais.

– Mon heure ou son heure ?

Roxane me lance un regard sévère de chef de bande qui n'a pas du tout envie de rigoler. Je baisse les yeux et tente de reculer ma montre numérique de quatre minutes. C'est chiant parce qu'il faut faire le tour des chiffres au grand complet.

Roxane reprend :

– Ils sont sûrement encore au garage, en train de terminer leur grand ménage. Vous leur offrez de prendre un *break* et de boire un verre pour fêter leur nouvelle entreprise. La bouteille avec un « x » contient un somnifère. Vous buvez dans l'autre bouteille. C'est clair ?

Martin et moi faisons signe que oui. Roxane poursuit :

– Huit heures trente, les frères Maltais sont endormis. Vous les attachez et vous prenez leur remorqueuse. On a la corde ?

Martin pointe vers le centre de la table. Roxane continue :

– Huit heures cinquante. Vous arrivez au guichet. Vous mettez vos cagoules. Avec la remorqueuse, vous arrachez le guichet automatique. Vous le mettez à bord.

Martin l'interrompt :

– Ça pèse combien, un guichet ?

– Avec cette remorqueuse-là, tu peux soulever un autobus. Inquiète-toi pas pour ça. Donc, à neuf heures, vous avez le guichet. Vous retournez au garage des frères Maltais pour neuf heures vingt. Vous laissez le guichet chez eux.

Je demande une précision :

– Ils dorment encore ?

– Oh ! oui. J'ai été généreuse sur la dose. Vous les détachez, vous revenez ici pour neuf heures quarante-cinq. C'est clair ?

Je regarde Martin qui me regarde.
– C'est clair.
– Tout est beau.
Roxane conclut :
– Des gens vont vous voir voler le guichet, ils vont appeler la police. Fred se rend à la banque, il constate le vol, va voir au garage et trouve le guichet. Le cas est réglé, les frères Maltais sont arrêtés.
Martin complète son raisonnement :
– L'enquête policière de Fred conclut évidemment que c'est eux. On les met en prison. Je vais les voir pour dire que je suis désolé et que je peux les aider à payer l'avocat, en échange du terrain.
Tout le monde affiche un air optimiste. Finalement, je crois que ça devrait marcher.

CHAPITRE 23

Mon ennemi m'a planté un couteau dans le dos et m'a fait arrêter pour port d'arme blanche.

ANONYME

Huit heures. Nous stationnons la cantine roulante devant le garage, près de la remorqueuse, sous la toute nouvelle affiche : Maltais Auto International. (En fait, il s'agit de la même vieille affiche. Les frères Maltais ont simplement repeint par-dessus les lettres existantes, puis ajouté une petite affiche de bois portant la mention « International ». C'est du plus grand chic.)

Il y a de la lumière à l'intérieur. Nous entrons, tout sourire, en montrant aux frères Maltais, occupés à faire le ménage, les deux bouteilles de vin et les quatre coupes que nous avons apportées dans un sac à dos.

Martin prononce un très bref discours de félicitations :

– Hé, les gars, je vous félicite ! Faut fêter ça ! Yé !

Je débouche la bouteille marquée d'un « x » tandis que Martin observe les détails du nouvel aménagement.

– Ça a vraiment changé ici. Qu'est-ce que vous avez fait de toutes les vieilles voitures ?

Justin répond fièrement :

– La cour à *scrap* est venue les chercher. Maintenant, on fait de l'import-export.

Guylain sent le besoin de préciser :

– Heu... de « l'export » seulement. On « export » des voitures vers Cuba. Paraît qu'ils ont des voitures tellement vieilles qu'on se croirait dans les années 60.

Pour eux, une Toyota 95, c'est comme pour nous une BMW neuve.

Je tends deux coupes aux frères Maltais.

– C'est une excellente idée. Tiens, buvons à votre nouvelle *business*.

Guylain refuse poliment.

– Heu… merci. Je préférerais une bonne petite bière.

Il ouvre le frigo et sort deux bouteilles de bière. Je tends une coupe à Justin.

– Justin ?

– Non, merci. Je vais prendre de la bière.

Je suis un peu embêté. Si personne ne boit du vin empoisonné, notre plan tombe à l'eau.

Il n'y avait qu'une faille dans notre plan : nous avions négligé d'observer comment vivent les gens. C'est comme ça que de grands empires sont tombés.

– Heu… Martin ?

Martin prend le verre, mais n'ose pas y boire. Guylain tend une bière à Justin et porte l'autre à ses lèvres.

– Hé ! Faut porter un toast !

Chacun lève sa bouteille ou son verre. Je lance un souhait :

– Au succès de votre nouvelle *business* !

Les frères Maltais calent la moitié de leur bière. Martin et moi nous mouillons à peine les lèvres dans nos coupes et faisons semblant d'en boire une gorgée. Puis, Martin a une excellente idée :

– Mmm… tu trouves pas qu'il est bouchonné ?

– C'est vrai. On devrait ouvrir l'autre.

Ouf ! Merci à l'inventeur de cette expression. Un peu soulagés, nous versons le contenu de nos coupes dans l'évier situé à l'écart. Martin en profite pour me parler à voix basse pendant que j'ouvre la deuxième bouteille de vin.

– Faut trouver une autre manière de les immobiliser.

– Les saouler ?

– C'est trop long. Faudrait les assommer.

– Avec quoi ?

Martin regarde autour de lui.

– C'est pas les options qui manquent.

Martin se dirige vers un mur au fond du garage où sont accrochés divers outils. Pendant qu'il examine ses options, Justin et Guylain s'approchent de moi.

– En tout cas, Fred, ton programme d'entraînement a vraiment changé notre vie.

– On dirait qu'on a deux fois plus d'énergie.

– Quand on veut faire quelque chose, ben... on le fait ! Sans se poser de questions.

– Je pense qu'on va encore augmenter le nombre de kilomètres qu'on court.

Martin met la main sur une immense masse et me consulte du regard. C'est beaucoup trop gros ! Il va les tuer ! Je lui fais signe que non.

Justin a vu mon signal.

– Non ?

– Heu... non. Ça peut être dangereux. Il faut y aller mollo...

– Ah bon. T'as raison. Faut pas brûler les étapes. On est peut-être juste un peu trop enthousiastes. En tout cas, merci pour le tuyau.

J'essaie d'en profiter pour lancer un message à Martin :

– Ah, ça me fait toujours plaisir de partager un tuyau avec des amis.

Martin met la main sur un tuyau de PVC accroché au mur. J'approuve d'un subtil mouvement de tête.

– Un bon tuyau, c'est toujours pratique.

– O.K. Alors, on va continuer de suivre le programme tel quel.

– Oui, tous les deux. Ce qui est bon pour un est bon pour l'autre.

Martin a compris le message et prend deux tuyaux semblables. Il s'approche discrètement du groupe, dissimulant les armes derrière son dos.

Pour distraire les frères Maltais et éviter qu'ils ne voient Martin s'approcher, je tente d'attirer leur attention vers le mur en face d'eux. On y trouve une affiche de Britney Spears en petite tenue.

– Je vois que vous avez refait la décoration.

Ils viennent admirer l'affiche. Justin sourit.

– Ouais... pas mal hein? Pis c'est toutes des pièces d'origine. Rien de rajouté.

Martin surgit derrière eux et les assomme en même temps d'un coup de tuyau. Ils s'effondrent au même moment. J'espère qu'ils ne sont pas blessés. Voler le guichet, je veux bien, faire accuser les frères Maltais, d'accord, mais je ne veux pas avoir leur mort sur la conscience.

– T'as pas frappé trop fort, au moins?

– Non, non. Juste assez. On les met où?

Je regarde autour de moi et pointe vers le fond du garage.

– Au fond. Dos à dos, le long du mur.

Martin s'empare de Justin, qui est de sa taille, et le traîne vers l'emplacement propice, pendant que je le suis, traînant Guylain, le plus costaud.

– Faut les attacher avant qu'ils se réveillent. Et prendre leurs vestes. Et leurs clés.

Je sors les cordes de mon sac à dos pendant que Martin les libère de leurs vestes et fouille leurs poches, puis j'enroule la corde autour des frères Maltais tandis que Martin les tient en place.

– Attache-les serré. Ils vont peut-être se réveiller.

– Avec un nœud de chaise, pas de problème. Plus ils vont tirer, plus ça va serrer le nœud.

– Tu sais comment faire ça?

– Y a un truc, c'est l'histoire du lapin. Le lapin sort du trou, fait le tour de l'arbre et retourne dans son trou. Tout simplement.

Je me souviens de l'histoire, mais je réalise qu'un détail de mise en scène m'échappe: je ne sais plus de quel côté le lapin doit sortir. Voyons! Comment fait-on ce foutu nœud? Je m'emmêle dans ma corde. Récapitulons.

– Bon, attends un peu. Le lapin… heu… le lapin est perdu. Je vais faire un nœud de soulier.

Martin, exaspéré, m'apporte un rouleau de ruban gommé.

– Tiens, prends donc ça.

Huit heures cinquante. Je suis au volant de la remorqueuse, je démarre le moteur. Nous avons vingt minutes de retard. Martin s'impatiente :

– On y va ?

– Oui, oui.

– Qu'est-ce que t'attends ?

– Hum… T'as déjà conduit un truc comme ça, toi ?

– Non.

Avant de relâcher l'embrayage, j'observe le levier de vitesse, qui ne comporte aucune indication. C'est un peu embêtant, car nous faisons face au garage et personne ne sait où se trouve la marche arrière. Normalement, c'est indiqué, mais là il va falloir jouer aux devinettes. Nous avons une chance sur cinq, ou sur six, selon le nombre de vitesses avant.

Je tire le levier vers ma cuisse en poussant vers le bas, puis je l'avance vers le tableau de bord. Je relâche la pédale d'embrayage, le camion avance et fonce dans la porte du garage.

Martin s'impatiente :

– Reculons, Fred, reculons !

– Attends.

J'essaie une autre position, complètement à droite, puis vers l'arrière. Cette fois, le camion recule. Puis, nous nous engageons enfin sur la route en direction de la ville.

Jusqu'à maintenant, notre mission se déroule plutôt bien.

CHAPITRE 24

La conscience est cette petite voix intérieure
qui nous avertit qu'il y a peut-être quelqu'un qui nous voit.

H. L. MENCKEN

Neuf heures cinq. Avec seulement quinze minutes de retard sur le plan, je stationne la remorqueuse devant le guichet automatique de la Caisse populaire, prête à tirer, comme la positionnent les frères Maltais quand ils préparent leur crime. L'opération n'est pas si facile qu'elle en a l'air, puisque ma cagoule limite passablement mon champ de vision.

Je laisse le moteur tourner et actionne avec brio le levier du treuil hydraulique qui déroule la chaîne. Martin, cagoulé lui aussi, saisit le crochet de métal fixé à son extrémité et va le placer sur le guichet.

Il me fait signe d'avancer. J'embraye en première et relâche la pédale. Le camion fait quelques pieds, mais dès qu'il atteint le bout de la chaîne, le moteur cale. Je le redémarre.

Martin s'informe :

– Es-tu en première ?

– Ben oui !

Je tente de nouveau la manœuvre. Sans succès. Encore une fois, le moteur cale. Pas facile d'arracher le guichet, il est solidement fixé au mur. Si ce n'était qu'une question de poids, il n'y aurait sans doute pas de problème. Mais le mur au complet crée de la résistance.

Martin ouvre la porte du passager du camion pour examiner le levier de vitesse.

– Y a peut-être un autre levier ?
– Pourquoi y aurait deux leviers ?
– Je sais pas. Il me semble que c'est plus puissant que ça, ce camion-là.
Une voix féminine retentit :
– Hé ! Vous deux !
Nous nous retournons pour apercevoir une voisine sortie sur son perron. Elle nous interpelle.
– Avez-vous fini de faire du bruit ? J'appelle la police.
– S'cusez… On s'en va bientôt.
Elle entre chez elle et referme la porte. En me retournant vers Martin, je constate qu'il me fait une drôle de tête.
– Ben quoi ?
– « S'cusez… On s'en va bientôt… » As-tu déjà vu un voleur s'excuser, toi ?
– On est des voleurs polis, c'est tout. Allez, on s'en va.
– On n'a pas le guichet !
– C'est pas grave, on s'en fout du guichet ! On a un témoin. C'est ça l'idée, au fond, non ?
C'est vrai, quoi ! C'est encore plus simple que notre plan original. La dame va déclarer avoir vu les frères Maltais essayer de voler la banque. C'est bien assez pour les faire arrêter. Et puis, de toute façon, on n'y arrivera pas. Le mur est beaucoup trop solide.
Mais Martin n'est pas d'accord.
– Combien tu penses qu'il y a là-dedans ? On a l'occasion de faire une fortune, on va pas laisser tomber.
– Hé ! Attends un peu, toi… Y a jamais été question qu'on vole vraiment l'argent. Le guichet, oui, mais on le retourne le lendemain. Sans l'avoir ouvert.
– Mais on est tellement près du but. Allez ! Essaie une autre fois.
– Bon. Mais c'est la dernière. Attention, c'est parti.
Je recule un peu la remorqueuse pour lui donner un meilleur élan, puis j'embraye en première et je mets toute

la gomme. Le véhicule bondit en rugissant, la chaîne se tend puis, dans un grand fracas, quelque chose se brise. Je me retourne pour voir si le guichet a quitté son mur. Mais il est toujours en place. Par contre, le crochet s'est cassé en deux. Une moitié est restée accrochée à la chaîne de la remorqueuse tandis que l'autre morceau est profondément enfoncé dans le guichet.

Cette fois, il n'y a plus rien à faire. Je n'ai plus de difficulté à convaincre Martin de monter à bord.

– Allez, on s'en va.

– C'est vraiment de la mauvaise qualité.

Neuf heures trente-cinq. Pendant que nous roulons vers le garage des frères Maltais, nous faisons le point sur la situation. Je m'inquiète un peu de la réaction de notre témoin :

– Quelle police elle va appeler, tu penses ?

– C'est pas grave. Si elle t'appelle, tu mènes l'enquête. Si elle appelle la SQ, c'est peut-être encore mieux. Notre preuve contre les frères Maltais est encore plus crédible parce que ça vient pas de nous.

– Oui, mais si c'est eux qui font l'arrestation, ça me donne quoi ?

– Faut pas t'en faire avec ça. Pourquoi elle appellerait la SQ alors qu'on a une police municipale, hein ?

Un gyrophare apparaît derrière nous. Tiens, parlant de police… Martin devient blême.

– Merde ! La SQ. Arrête-toi. Merde…

Neuf heures quarante. J'immobilise le véhicule sur le bord de la route. Un grand policier mince vient nous rejoindre à pied, se plante devant ma fenêtre et nous aveugle en pointant successivement sa lampe de poche sur mon visage et celui de Martin.

– Vos papiers, s'il vous plaît.

Je fouille dans la veste que j'ai empruntée à Guylain et sors les papiers qui s'y trouvaient pour les remettre au policier.

– On peut tout expliquer.

Il examine la paperasse que je lui ai remise.

– Vous êtes Guylain Maltais ?

J'hésite un court moment. Pour ne pas éveiller les soupçons, il faut que je réponde oui. Je n'ai pas trop le choix. Il serait absurde de dire que je ne suis pas cet homme. Je viens de lui remettre des papiers m'identifiant comme tel. Mais j'hésite parce que l'intention du policier n'est pas claire. Est-il en train de dire qu'il connaît les frères Maltais et qu'ils ne sont visiblement pas nous ou bien qu'il a déjà entendu parler des frères Maltais et se voit surpris de les rencontrer pour la première fois ? Heureusement, la photo du permis de conduire est assez mauvaise pour que je prenne le risque.

– Heu… ben oui.

Il me dévisage.

– Mmm… On s'est pas déjà vu quelque part ?

Comment veux-tu que je réponde, espèce d'idiot ? Tu as ta lampe de poche pointée dans mon visage. Je tente le tout pour le tout. Je ne peux pas répondre autre chose que ce qu'il y a sur mes papiers.

– Oui, j'ai un garage pas loin d'ici.

Il réfléchit un moment. Soit qu'il est particulièrement futé et a déjoué nos plans ou bien il ne réfléchit pas très vite.

– Votre feu arrière gauche est brûlé.

– Ah oui ?

Oups… un peu trop d'enthousiasme dans ma réplique… Il faut dire que je saute de joie intérieurement. Nous sommes tombés sur un policier qui ne réfléchit pas vite. C'est parfait. Pour son bénéfice, je poursuis d'un ton inquiet :

– Ah bon…

L'officier continue de me dévisager.

– Je vais vous donner un quarante-huit heures. Vous me réparez ça ?

Il rédige son document.

– Promis.

Martin et moi laissons discrètement échapper un long soupir.

Dix heures huit. Notre mission tire à sa fin. Nous stationnons la remorqueuse devant le garage. Mais, c'est étrange, la cantine roulante n'y est plus.

En entrant dans le bâtiment, nous constatons immédiatement que les frères Maltais manquent également à l'appel. Ils semblent avoir quitté les lieux rapidement car tout est encore en place et les lumières sont restées allumées.

Martin s'inquiète :

– Bon… Y manquait plus rien que ça…

Ils ne sont peut-être pas loin. J'essaie de les appeler :

– Y a quelqu'un ?

Aucune réponse. Martin s'assied sur une vieille banquette de fourgonnette qui traîne près de l'entrée. Je lance une suggestion :

– On devrait appeler Roxane.

Martin se précipite sur le téléphone et compose le numéro de sa résidence. Pas de réponse. Il attend un long moment, toujours pas de réponse. Il grimace puis se précipite dehors.

CHAPITRE 25

Juste comme j'avais découvert le sens de la vie,
ils l'ont changé.

GEORGES CARLIN

Dix heures dix-neuf. Nous arrivons en trombe dans l'entrée de la cour de Martin et descendons du véhicule à toute vitesse pour courir vers la porte d'entrée. Dès qu'elle s'ouvre, Ringo vient nous retrouver. Martin l'ignore pratiquement et appelle sa femme :

– Roxane ?

J'essaie moi aussi, un peu plus fort, pour me sentir utile.

– Roxane ?

Pas de réponse. La maison semble vide. Une chaise de cuisine a été renversée, indiquant peut-être qu'il y a eu combat.

Martin se penche vers Ringo.

– Elle est où, Roxane ? Hein ?

Ringo s'énerve, tourne en rond, mais ne donne aucun indice valable. Nous continuons nos recherches, fouillant la maison de la cave au grenier. Sans succès.

Passablement inquiets et découragés, nous nous assoyons à la table de la cuisine pour réfléchir.

Je brise le silence :

– Ils vont sûrement appeler pour demander une rançon.

– Qu'ils touchent juste à un cheveu de Roxane pour voir…

– Comment est-ce qu'on a pu croire que ça pouvait marcher ?

– J'aurais dû faire une offre sur le terrain. Ç'aurait été plus simple… Tu parles d'un plan stupide…

Silencieusement, nous surveillons le téléphone du coin de l'œil. Je risque une théorie :

– Ils ont dû se détacher, ensuite ils sont venus ici pour se venger. Ils nous ont pas trouvés, alors ils ont kidnappé Roxane. C'est sûr qu'ils l'ont fait parler. Maintenant, ils connaissent notre plan. Ils vont nous dénoncer. Je peux dire adieu à ma promotion, tu peux dire adieu à ton terrain.

– Ben voyons… c'est quoi le pire qui peut arriver ? On nous accuse de tentative de vol de banque.

– C'est déjà ça… Ensuite, voies de fait sur deux garagistes.

– Vol de remorqueuse.

– Complot pour fraude.

– Abus de ton pouvoir d'enquêter pour incriminer deux innocents.

– Stupidité…

Martin soupire longuement.

– Ça, heureusement, y a pas encore de loi…

Au point où j'en suis, j'abandonnerais volontiers à tout jamais toute velléité de carrière dans les forces de l'ordre si je pouvais seulement éviter la prison. Il paraît que l'ambiance y est plutôt lugubre. Particulièrement pour un policier. Mais surtout, quelle perte de temps ! Des heures et des jours, voire des années à attendre la fin de la sentence, sans autre distraction que l'occasionnel concert nocturne des cris de douleur du pédophile de l'étage qu'un voisin bien intentionné s'amuse à torturer, profitant de la complicité d'un gardien ayant négligé de verrouiller quelques portes.

Une vie gâchée par un mauvais départ professionnel. Voilà que mon ambition me joue des tours. J'aurais peut-être dû me contenter, comme mon prédécesseur, d'adopter une petite routine tranquille, sans éclat, puis de prendre ma retraite après trente ans de loyaux services, laissant ma place à un plus jeune.

Martin fixe le téléphone. Il n'en peut plus.

– Voyons... qu'est-ce qu'ils font ? Bon... allez-y... appelez !

– S'ils appellent, faut négocier serré, hein ?

– Oui, oui.

– Laisse-les parler et fais attention de pas accepter toutes leurs demandes tout de suite. Faut avoir le meilleur *deal* possible.

Dix heures cinquante-six. J'attrape le journal pour me changer les idées. Il paraît que la ville de Venise s'enfonce dans l'océan. Jusqu'à un centimètre par année, selon l'agence Reuters. Pas de quoi fouetter un chat, apparemment. Mais au bout de cent ans, ça fait quand même jusqu'à un mètre ! S'il s'agissait de n'importe quelle autre ville, je ne m'en soucierais pas trop. Mais n'empêche, Venise ! La ville des amoureux. Qui s'enfonce. Ça envoie un mauvais signal.

Je repense à Agnès qui va me manquer en prison. Je tente de chasser cette pensée de mon esprit. Alors, je pose le journal sur la table et fixe intensément le téléphone en souhaitant très fort qu'il sonne, même si c'est pour une demande de rançon.

Soudainement, le téléphone sonne et je sursaute à m'en arracher le cœur. Martin se précipite pour répondre.

– O.K, tout ce que vous voulez, mais touchez pas à... quoi ?

Il me lance un regard paniqué.

– On arrive.

CHAPITRE 26

À la guerre, on devrait toujours tuer les gens avant de les connaître.

MICHEL AUDIARD

Onze heures vingt et une. Martin et moi arrivons à toute vitesse à l'hôpital régional et le personnel nous dirige vers la chambre où Roxane vient d'accoucher. Nous la retrouvons dans son lit, son bébé dans les bras, flanquée des frères Maltais.

Martin se précipite sur Roxane pour l'embrasser et voir son fils, un petit roux à moitié chauve, mais en pleine santé. Personne n'a de revolver pointé sur la tempe, personne ne parle de rançon. Les frères Maltais, un peu gênés, sourient béatement en tortillant le bas de leur chemise dans leurs doigts gourds.

Guylain m'interroge avec, tout de même, un soupçon de reproche dans la voix :

– Où est-ce que vous étiez ? Qu'est-ce qui s'est passé ? Je me souviens juste qu'on était en train de fêter notre nouvelle compagnie. Puis, on s'est réveillés ligotés.

Ouf… heureusement, ils ne se souviennent de rien. C'est peut-être le coup sur la tête. C'est le temps d'utiliser mes talents d'improvisateur :

– Ben oui, on s'est tous fait attaquer.

Martin ajoute :

– Ils étaient toute une bande. Des gros gars armés jusqu'aux dents.

J'essaie de contenir un peu les ardeurs de Martin pour que notre histoire demeure crédible :

– Oui, bon… Ils étaient trois ou quatre, environ. Avec des barres de fer. Des petites barres de fer. Mais j'ai sorti mon revolver. Et je leur ai dit : « Si y en a un qui touche à Guylain ou à Justin, je le descends, c'est clair ? » Les gars se sont enfuis. On les a poursuivis avec la remorqueuse, parce que… parce que…

– Parce qu'il y a les gyrophares.

Oui, merci Martin. Ça me revient, maintenant.

– Exactement. Les gyrophares, ça impressionne les criminels. Mais ils étaient plus rapides que nous.

Martin en rajoute encore :

– Oui, ils avaient chacun une Porsche rouge et ils sont partis dans toutes les directions.

Mais arrêtez-le quelqu'un ! Il en fait trop et dépasse carrément les bornes du crédible. Mais curieusement, ce dernier détail semble avoir l'effet contraire. En tout cas, il a retenu l'attention de nos deux garagistes. Justin demande des précisions :

– Wow ! Quel modèle c'était ?

– Heu… la nouvelle, celle qui va vite.

– Wow… c'est sûr que c'est pas des gars de la région. Y a personne qui a cette voiture-là chez nous.

Guylain conclut :

– Dommage qu'on était sans connaissance. On a raté ça. Pis ? Vous les avez retrouvés ?

– Malheureusement pas.

– Les voitures non plus ?

– Ben non. Mais je poursuis l'enquête. C'est probablement des gens qui m'en veulent à moi personnellement, comme policier. À votre place, je m'en ferais pas trop avec ça.

Mais parlons d'abord des dossiers les plus urgents. Je me tourne vers Roxane.

– Vous, qu'est-ce qui s'est passé ?

Elle trouve la force de me répondre :

– J'ai eu des contractions juste après votre départ.

– Avec un mois d'avance ?

– C'est arrivé tout d'un coup. Je sais pas, le stress, peut-être. Je savais que vous étiez à côté, chez les frères Maltais. J'ai téléphoné : pas de réponse. Alors, je suis descendue voir.

– À travers le champ ?

– Est-ce que j'avais le choix ? J'ai trouvé Guylain et Justin attachés. Mal attachés, heureusement.

À sa façon de regarder Martin, je comprends qu'il y a malgré tout un fond de reproche dans son dernier commentaire. J'en profite pour étayer ma thèse :

– Ah... c'est typique des gars qui nous ont attaqués. C'est leur signature. Du travail bâclé.

– Heureusement aussi, ils avaient repris connaissance. Faut croire que les voleurs étaient mal préparés.

Roxane décoche un autre regard réprobateur vers Martin. Je ne m'en mêle plus. Elle poursuit :

– Alors, ils ont pu m'emmener avec la cantine roulante. Sauf que c'était trop tard. J'ai accouché sur la banquette.

Ah la la... je vois d'ici la scène. Ces deux quasi-puceaux aidant Roxane à accoucher. Il y a dû y avoir du sport. Roxane ajoute :

– Et je veux plus jamais entendre parler d'Antoine Robichaud ni me faire servir des phrases comme « Divise la tâche en petits morceaux, commence par la tête ! » ou « Pousse, pousse ! Quand on commence, il faut finir ! »

Roxane ferme les yeux et s'endort immédiatement.

CHAPITRE 27

Il y a plus de larmes versées pour les prières exaucées que pour celles qui ne l'ont pas été.

SAINTE THÉRÈSE D'AVILA

Le maire Blackburn m'a convoqué à son bureau.

– Tu voulais une enquête, en v'la une ! Figure-toi que les Maltais ont attaqué le guichet automatique hier soir !

J'essaie d'avoir l'air surpris. En fait, ma seule surprise réelle est de constater la conviction avec laquelle il accuse les deux garagistes.

– Non !

– Oui ! La voisine les a vus.

– On est sûr que c'est bien les frères Maltais ?

– Elle a vu leur remorqueuse. De toute façon, qui est-ce que tu veux que ce soit ?

– C'est sûr.

– Ces deux imbéciles-là faisaient un bruit d'enfer. Elle a appelé la SQ, mais on a une longueur d'avance sur eux… vu qu'on connaît bien les coupables…

– C'est sûr.

– Alors, tu nous fais une belle enquête, on arrête nos voleurs avant la SQ et j'envoie une belle lettre à Québec pour leur dire qu'avec notre petite force policière d'un seul homme, un débutant, on a réussi à démanteler un réseau de voleurs de banques.

Voilà. Mission accomplie. Il ne me reste plus qu'à cueillir Guylain et Justin Maltais et à les foutre en prison.

C'est encore plus facile que je ne l'avais imaginé. Le maire se chargera lui-même de vanter mes mérites aux chefs de la police provinciale. Nul doute que je pourrai utiliser cette petite gloire pour me dénicher un vrai poste de policier dans une vraie ville.

– Bravo. C'est du tout cuit. On peut pas demander mieux.

Le maire a un autre sursaut d'enthousiasme :

– Oh ! Et tu sais pas la meilleure ? On m'a informé que les patrouilleurs de la SQ ont arrêté les Maltais hier soir pour une autre infraction, une lumière brûlée sur leur remorqueuse. Ils se sont même pas rendu compte qu'ils venaient d'essayer de voler la banque !

– Des vrais amateurs.

– Allez ! Va me faire une belle arrestation.

– Heu… faut d'abord que je mène mon enquête.

– Ouais… Bon. Alors, c'est ça, fais ton enquête.

Le maire me fait un immense clin d'œil, puis ajoute en s'en allant :

– Ensuite, tu nous feras une belle arrestation.

Voilà. Ça y est. Ma carrière est lancée. J'ai eu ce que je voulais.

Bravo.

Et pourtant, je n'ai jamais été aussi pitoyable.

CHAPITRE 28

Les obus et les décorations tombent au hasard
sur le juste et l'injuste.

ANDRÉ MAUROIS

Huit heures du matin, environ, je crois. Je n'ai pas ma montre. J'ai mal dormi et je me suis levé tard. J'aime autant ne pas connaître l'ampleur de mon retard.

En joggant vers le garage des frères Maltais (sans doute par habitude, car quel intérêt maintenant ?), je repense à mon enquête. On réfléchit bien en joggant. Le cerveau ne sait pas quoi faire à part activer les jambes, le cœur et les glandes sudoripares. Alors, on peut lui envoyer des demandes spéciales, lui soumettre des problèmes à analyser durant le temps de traitement inutilisé. Bref, on y voit plus clair.

En ce qui concerne mon enquête, une seule chose est claire : je n'ai encore rien fait. Et je n'ai aucune envie de faire quoi que ce soit.

Cette constatation ne poserait aucun problème si je n'étais pas le policier en charge de ladite l'enquête.

Rapport du Cerveau concernant les pistes de solutions demandées :

Solution A : Ne rien faire.

Avantages : Pas fatigant, tendance naturelle de l'être humain.

Inconvénients : Probable perte d'emploi pour ne pas avoir arrêté les frères Maltais et probable perte de l'amitié de

Martin et Roxane (peut-être même de Ringo) pour ne pas avoir favorisé l'achat de leur terrain.

Solution B : Fuir.
Avantage : Ne plus être à St-Perpétuel.
Inconvénients : Pour aller où ? Après un long trajet en autocar, forte probabilité de me retrouver à Montréal sans le sou, sans Agnès, la SQ à mes trousses et ma carrière continuant d'aller nulle part.

Solution C : Arrêter les frères Maltais.
Avantages : Garantie d'emploi, estime du maire, gain de terrain bon marché pour Martin et Roxane. Possibilité de promotion.
Inconvénients : Problème moral non négligeable à faire accuser des innocents qui, en plus de ne pas être coupables, ont un très bon alibi et, de surcroît, sont finalement quand même plutôt sympathiques, en tout cas assez aimables pour aider une femme enceinte à accoucher et la conduire à l'hôpital. Problème de karma à envisager pour moi, ainsi que pour Martin, Roxane et peut-être même le nouveau-né (dont le nom demeure inconnu).

Solution D : Démissionner.
Avantages : Pas d'enquête à faire. Pas besoin d'arrêter les frères Maltais.
Inconvénients : Forte probabilité que le maire les arrête à ma place. Mauvais début de carrière comme policier.

Solution E : Suicide.
Avantage : Solution rapide.
Inconvénients : Possibilité de mort, la survie n'étant pas nécessairement préférable, car on imagine difficilement une situation plus déprimante que de n'être même pas foutu de réussir son suicide.

Solution F : Tuer tout le monde.

Avantage : Disparition de tout le monde.

Inconvénients : Tâche extrêmement fatigante, éminemment risquée, sans compter la solitude et les problèmes de conscience en cas de succès.

Note légale : Le Cerveau n'assume aucune responsabilité pour les conséquences des actions prises en fonction des pistes de solutions dégagées. Utiliser avec discernement.

CHAPITRE 29

On s'étonne trop de ce qu'on voit rarement et pas assez de ce qu'on voit tous les jours.

COMTESSE DE GENLIS

À quoi peut bien penser un plant de wasabi? D'abord, est-ce que ça pense? Il lui faut sûrement un minimum d'intelligence pour se souvenir de former de jolies petites feuilles vertes en forme d'oreilles d'éléphant, puis de songer à les orienter vers la lumière. Mais un plan de wasabi doté d'une intelligence exceptionnelle et qui aurait le goût de se taper l'œuvre complète de Dostoïevski serait un peu déçu par la vie. D'abord, il n'a qu'un seul pied, bien pris dans la terre, ce qui nuit énormément aux déplacements vers la bibliothèque. Ensuite, il n'a que de tout petits bras incapables de tenir un livre, surtout pas une œuvre intégrale.

Enfermé dans la serre de Martin, j'observe tous ces plants, disposés en de longues rangées bien droites, éclairés selon un programme optimal d'ombre et de lumière qu'il a mis au point afin de les rendre parfaitement heureux dans la phase qui précède leur sortie dans la nature. On voit qu'ils ont hâte d'étendre leurs racines dans la bonne terre humide, près du ruisseau, à l'ombre des grands arbres.

Je préférerais ce soir être un plan de wasabi. Pour ne pas avoir à réfléchir. Pour éviter d'avoir à prendre une décision. J'ai soupesé toute la semaine les options qui s'offrent à moi et aucune ne me plaît. J'ignore combien de temps encore je vais pouvoir remettre ma décision au lendemain. Mais je pourrais certainement devenir bon là-dedans. On devient bon dans ce à quoi l'on s'entraîne tous les jours, même la procrastination.

J'aimerais que par magie le problème disparaisse. Peut-être si j'attends encore un peu ? Quelle différence quelques jours de plus peuvent-ils faire dans le cours de l'histoire ?

J'aimerais que le temps s'arrête ou, encore mieux, pouvoir revenir en arrière et changer le passé. Mais c'est très difficile. Surtout à court terme. On peut réécrire les livres d'histoire, mais on doit vivre avec la semaine dernière.

CHAPITRE 30

On greffe des foies, on greffe des reins, on greffe tout... sauf des couilles, parce que l'on manque de donneurs.

JACQUES CHIRAC

J'ai à peine posé un pied par terre au sortir du lit que le maire Blackburn est déjà devant ma porte.

– Je peux te parler?

Il entre dans ma chambre et s'adosse au mur devant moi.

– Je sais qu'on n'est pas dans les heures de bureau, mais je me demandais comment va ton enquête.

Je cherche les bons mots pour lui dire que je n'ai rien fait.

– Oui, c'est une bonne question, justement.

– D'accord.

Un moment de silence.

– Bon. Heu... par où commencer?

– As-tu arrêté les Maltais?

– Heu... non. Pas encore.

– Est-ce qu'ils ont avoué? Les as-tu interrogés, au moins? Quand est-ce que j'aurai le plaisir d'appeler les fonctionnaires de Québec pour leur rappeler leur incompétence?

– Heu... pas aujourd'hui...

– Alors, quand? Demain? *Mañana*? C'est ça?

– Heu... ben justement, à vrai dire, c'est intéressant que vous posiez la question...

– Quand?

Aurai-je le courage de lui dire? De toutes les hypothèses avec lesquelles je jongle depuis quelques jours, la *Solution C: Arrêtez les frères Maltais* me semble irrecevable. Je ne pourrais jamais me pardonner cette trahison. Alors, aussi bien le dire tout de suite au maire. Je rassemble tout mon courage et prononce les mots qui risquent de mettre fin à ma carrière.

– Heu... jamais.

– Bon.

Le maire se lève.

– Je suis désolé, Fred. Désolé et déçu. Tu me laisses pas tellement le choix. Je te suspends de tes fonctions.

Quoi? Un instant! Juste comme ça? Sans autre forme de procès? Sa décision me semble un peu précipitée. À croire qu'il l'avait déjà prise avant de venir me voir.

Je ne vais quand même pas me laisser impressionner par ce vieux croûton! Il ne va pas décider unilatéralement de mon avenir! Il va voir que je peux moi aussi avancer mes pions sur le grand échiquier de la politique municipale.

Je cherche une réplique cinglante. Tout ce qui me vient, c'est:

– Vous pouvez pas faire ça!

– Ah oui? En vertu de quel règlement que j'aurais écrit et signé? Les as-tu lus, au moins? Moi, je les ai tous écrits, alors...

– Bon, O.K. Alors, je démissionne.

Paf! Je viens de prendre sa reine avec mon fou.

Je vais lui montrer qu'il n'est pas le seul à pouvoir provoquer des coups de théâtre. Le croûton ne l'a certainement pas vu venir, celui-là.

Comme il allait franchir la porte, il se retourne lentement vers moi. J'espérais le décontenancer par la rapidité de ma réplique, mais il semble parfaitement en maîtrise de la situation.

– C'est comme tu veux, Fred. Donc, je récupère tous les pouvoirs de police et je te mets aux arrêts pour entrave à la justice.

Sans hésiter, il referme la porte de ma cellule et la verrouille à double tour.

Échec et mat.

Je reprends brutalement conscience du fait que je dors dans une prison et que me voilà donc déjà, *de facto*, prisonnier. Je devrais réfléchir avant d'agir.

– Hé ! Vous pouvez pas faire ça !

Paul-Émile Blackburn s'approche des barreaux et me regarde droit dans les yeux.

– On t'a vu souvent avec les Maltais, dernièrement. Vous avez pas une petite combine, toujours ?

– Non, vraiment pas.

– Les petites exportations vers Cuba. Tu penses que je suis pas au courant ?

– J'ai rien à voir là-dedans !

– O.K, si vous êtes pas complices, pourquoi tiens-tu tant que ça à protéger deux imbéciles, contre qui on a toutes les preuves du monde et qui méritent juste la prison ?

– C'est pas si simple que ça.

– Tu sais que le policier de la SQ a rappelé ? Il s'est souvenu tout à coup qu'il t'avait déjà vu quelque part. Vous vous êtes croisés à l'école de police. Il a demandé à voir ta photo et ça correspond tout à fait.

J'avale difficilement ma salive. C'est pire qu'échec et mat. Il a donné mon roi au chien pour qu'il le mange.

– Donc, c'est toi qui conduisais la remorqueuse l'autre soir. T'es effectivement complice des Maltais… Je comprends pourquoi tu voulais pas les arrêter.

Le maire s'éloigne, puis fait demi-tour.

– Ah ! En passant, à ton école de police, ils m'ont parlé de l'examen final. Tu l'as jamais eu, ton diplôme. C'est drôle, celui que tu m'as montré avait pourtant ton nom dessus. Moi, j'ai juste besoin d'un coupable.

J'aurais préféré arrêter les Maltais. Mais bon… Au moins, j'en ai un. Et surtout, c'est moi qui l'ai, pas la SQ.

Il disparaît dans l'escalier.

CHAPITRE 31

N'importe qui peut accomplir n'importe quelle quantité de travail, pourvu que ce ne soit pas ce qu'il est censé faire.

ROBERT BENCHLEY

Je tourne en rond dans ma cellule, cherchant en vain une faille dans le système de sécurité : un barreau affaibli par la rouille, un petit objet métallique que je pourrais introduire dans la serrure pour en enclencher le mécanisme, un mur au ciment friable, un double plafond, un passage secret.

Rien à faire. Je n'ai même pas de fenêtre pour appeler un passant à l'aide. Encore moins le téléphone. Je suis à la merci du maire. Je ne suis même pas sûr qu'il ait le droit de me retenir ainsi prisonnier. Si seulement j'avais mieux étudié le Code civil, j'aurais la réponse à ma propre question.

Ma carrière est foutue. Est-ce si grave, après tout ? Je suis tranquillement en train de réaliser que je n'ai pas la vocation. On ne peut pas dire qu'en un mois de pratique, mon métier de policier m'ait apporté beaucoup de satisfactions. En fait, j'ai rarement été aussi stressé qu'au cours des dernières semaines. J'ai bien remboursé quelques petites dettes, mais je n'ai éprouvé aucun plaisir à combattre le crime. Mon seul plaisir a été de tenter d'imaginer des moyens astucieux pour quitter cette ville. Et je ne vois pas quelle satisfaction supplémentaire j'aurais dans un corps d'élite de la police de Montréal.

De toute façon, la question ne se pose même plus puisqu'il est maintenant de notoriété publique que mon diplôme est faux. Il est pourtant très bien reproduit, graphiquement à peu près parfait. Facile avec un scanneur, Photoshop et une bonne imprimante couleur. Il suffit d'emprunter discrètement quelques minutes le diplôme d'un collègue et le tour est joué. D'accord, ce n'est pas tout à fait honnête, mais qu'est-ce que ça peut bien faire puisque j'ai reçu la formation ? J'ai juste été malchanceux aux examens, voilà tout. Ou mal préparé. Et qu'est-ce que ça prouve, un bout de papier ?

« Ne laisse pas les petits obstacles t'arrêter », disait Antoine, l'homme qui m'a tout de même permis de survivre à mes études. Des études qui, il faut bien l'avouer, ne me motivaient pas particulièrement. Mais grâce à sa méthode, pas besoin de motivation. C'est lui qui la fournit.

Je m'étends sur mon lit pour mieux réfléchir.

Ma première erreur ne fut peut-être pas de mettre les pieds à St-Perpétuel, après tout. Oui, cette erreur me semble particulièrement *erronée*, mais elle s'inscrit dans une suite d'erreurs commencée bien avant.

Et si Antoine Robichaud avait tort ? Et si tous ces efforts pour maximiser ma productivité étaient vains ? Qu'est-il advenu de tout ce temps « économisé » grâce à lui ? À quoi rime toute cette précipitation ? À quoi sert de courir si je suis sur la mauvaise route ?

Après tout, l'essentiel n'est pas tant d'aller vite que d'aller dans la bonne direction, pas tant de maximiser sa productivité que de s'attaquer à la bonne tâche. Un orchestre peut bien jouer la Cinquième Symphonie de Beethoven en moins de cinq minutes. Quel intérêt ?

Quel intérêt si ce n'est pas la musique qu'on a envie d'entendre ?

Et surtout, quel intérêt si c'est justement la musique qu'on a envie d'entendre ?

– Attention, y a une lime à ongles dans le sandwich aux œufs.

La voix de Martin me fait revenir à la réalité. Je lève la tête de mon oreiller et l'aperçois près de la porte de fer forgé, un sac brun à la main. Je m'approche du grillage pour lui serrer la main et prendre le lunch.

– Merci !

Je commençais à avoir faim. J'ai passé toute la journée dans ma cellule, sans même déjeuner, le maire n'ayant pas daigné me nourrir.

– Comment t'as su ?

– Ringo t'attendait pour aller courir ce matin. Quand j'ai vu que tu venais pas et que la voiture du maire était chez les Maltais, je me suis bien douté de quelque chose.

– Est-ce qu'il les a arrêtés ?

– Non. Ils ont parlé longtemps, mais pas d'arrestation. Il t'a vraiment enfermé, le salaud !

– Enfermé dans ma chambre. Et toi ? Qu'est-ce que tu vas faire pour tes plants ? Tu peux quand même faire une offre sur le terrain, non ?

Martin baisse les yeux.

– J'ai mis tout mon argent dans les plants et l'équipement.

– Alors, avec quoi tu pensais l'acheter, le terrain ?

– Ben... avec l'argent du guichet.

– Ah...

Oui, je vois. Ainsi, une partie du plan m'échappait. C'est donc pour cela que Martin insistait tellement pour qu'on emporte le guichet. La seule tentative de vol ne lui donnait pas une marge de manœuvre suffisante pour faire une offre sérieuse.

– T'aurais pu m'en parler...

– Aurais-tu participé ?

– Non !

– Bon... tu vois pourquoi je t'en ai pas parlé.

Il a raison. Je comprends maintenant comment il a fait ses calculs.

– Je leur ai offert la moitié des profits pendant trois ans en échange de l'utilisation du terrain.

– C'est beaucoup.

– Pas de terrain, pas de récolte... Mais j'ai négocié un autre truc.

– Ah ?

– Ils ont besoin de liquide pour démarrer leur entreprise. Alors, moi aussi j'ai une carte dans mon jeu… Si j'ai accepté de céder la moitié des profits, c'est que dans trois ans, le terrain est à moi.

– Wow !

– Tu penses faire quoi en sortant d'ici ?

– Je sais pas. Faudrait que je commence par sortir.

– Fermier, ça te tente pas ? J'ai besoin d'aide. Roxane s'occupe du petit, les frères Maltais de leur entreprise et j'ai pas beaucoup de liquidités.

– Je sais pas.

– Si tu m'aides, on partage le terrain et les profits.

CHAPITRE 32

J'ai déjà eu de l'ambition.
Mais un médecin de Buffalo m'en a guéri.

TOM WAITS

– Monsieur le maire, c'est un gros malentendu. Je vais tout vous expliquer.

Peu après le départ de Martin, le maire Blackburn a enfin daigné m'accorder une visite. Assis sur la petite chaise droite du couloir qui fait face à ma cellule, il croise les bras et prend un air impatient.

– Sois bref et convaincant.

Je lui raconte tout depuis le début. Mon ambition. Mes difficultés à l'École nationale de police. La méthode Robichaud. L'occasion trop belle de faire une arrestation spectaculaire. Mes tentatives de guérir les frères Maltais. J'y mets tout mon pouvoir de persuasion, tout en me gardant bien de faire allusion de quelque façon que ce soit à Martin ou à Roxane. Je raconte l'initiative-surprise des frères Maltais et les détails de leur nouveau projet. Je raconte la nuit du vol, toujours sans nommer Martin. Puis, ma décision de ne pas arrêter des innocents. Puis, mon désarroi actuel, mes tergiversations.

Le maire m'écoute attentivement, apparemment imperturbable. Je termine mon récit par un plaidoyer en faveur de la justice pour les frères Maltais, qui n'ont rien fait, et d'une chance pour moi de recommencer ma vie dans l'industrie du wasabi, un domaine d'avenir pour sa ville.

Quand je me tais enfin, le maire réfléchit un court moment, prend une grande respiration, puis prononce son verdict :

– Je vais pas te demander le nom de ton complice. Je crois que je sais qui c'est et pourquoi c'est lui. Mais je vais te demander une chose, Fred. Est-ce que tu sais qui paye ton salaire présentement ?

– Heu... vous... la Ville.

Il sourit.

– Ah bon... et avec quel argent, tu penses ? Réfléchis bien. Huit cents habitants, la moitié paient pas de taxes. On peut même pas payer décemment un élu municipal comme moi. Mon salaire officiel est de cinq dollars vingt-cinq de l'heure, moins que le salaire minimum. Fais le calcul et dis-moi où je peux trouver les sous pour payer des gens comme toi.

J'hésite. En effet. Je n'y avais pas pensé, ça semble étrange.

– Heu... j'avoue que je vois pas.

– Puisque te voilà nouvel entrepreneur, j'aimerais te sensibiliser à notre réalité budgétaire. Y a personne qui se plaint quand je donne un contrat de voirie à un entrepreneur local. Ça garde la main-d'œuvre dans la région. T'es d'accord ?

– Heu... ouais.

– Mais l'entrepreneur local, lui, il profite de notre belle région. Toi, par exemple, pour ton wapiti... ton wa...

– Wasabi.

– T'as besoin de notre microclimat. Et nous, on a besoin de sous.

Je commence à voir où il veut en venir.

– Alors, ce serait dommage qu'un futur dirigeant d'entreprise locale, notre avenir après tout, croupisse en prison, surtout logé et nourri à mes frais. On ferme l'enquête. Affaire réglée. Mais sache que je prévois, comment dire... une forte probabilité d'une nouvelle taxe sur le... heu... le truc que tu fais pousser. Et que je te vois pas venir paqueter nos assemblées de citoyens avec tes amis antitaxes ou bien il va il y avoir des peines de prison rétroactives. Est-ce que je me fais bien comprendre ?

– C'est très clair.

Le maire ouvre la porte de ma cellule et s'en va.

Ouf… Je ne sais pas si justice a été faite (j'en doute), mais au moins je suis libre.

Mes options sont limitées, mais j'ai des options.

C'est déjà beaucoup.

CHAPITRE 33

Dieu est vivant et en bonne santé.
Il travaille présentement sur un projet moins ambitieux.

Roger Minne

J'aimerais apporter un gros bouquet. Quelque chose d'énorme. Si je pouvais y inclure deux ou trois gros arbres, ce serait idéal.

Pour avoir tenté pendant un mois de mettre ses cousins en prison, je comprendrais Agnès de ne plus rien vouloir savoir de moi. Heureusement, je ne crois pas qu'elle ait été au courant de mes plans. Les principaux intéressés non plus, et ça vaut mieux.

Par contre, n'ayant donné aucun signe de vie depuis dix jours, je préfère être prudent et me placer dans ses bonnes grâces. Car je ne veux pas rester à St-Perpétuel sans sa compagnie. Et si je me transforme en cultivateur, comme me l'offre Martin, il serait à peu près temps que je commence à manipuler des plantes.

Je me suis arrêté au bord de la route, dans une zone marécageuse regorgeant de quenouilles, de hautes herbes et de plantes diverses, esthétiquement intéressantes, mais dont j'ignore le nom, en espérant seulement que ce ne soit pas de l'herbe à poux. Tant bien que mal, j'assemble un bouquet présentable composé d'arbustes et de quenouilles, tout en sachant déjà que je ne pourrai pas jouer sur l'effet de surprise, le bouquet ayant à peu près ma taille.

Je l'attache sur le toit de la cantine roulante et me rends à son lieu de travail. Une fois sur place, c'est avec nervosité et maladresse que je détache mon gros bouquet, pestant contre un nœud trop serré.

– Je peux t'aider ?

Je me retourne pour apercevoir un être qui fonce vers moi un couteau à la main. Bon d'accord, c'est un être charmant vêtu d'une robe traditionnelle sans poches, qui s'approche gracieusement et, à l'aide du couteau, parvient à défaire le nœud.

Je lui présente le bouquet.

– C'est pour toi.

Mon discours a été bref, mais bien senti. Je ne vois pas ce que je pourrais ajouter d'intelligent. Le reste, elle semble le lire sur mon visage puisqu'elle rengaine son couteau. Elle examine en détail le bouquet plus grand qu'elle.

– Est-ce que le pot suit sur un dix roues ?

Tout à coup, son visage prend un air de panique.

– Nid de guêpes !

Elle laisse tout tomber et prend ses jambes à son cou. Je la suis sans me retourner. Elle traverse à toute vitesse le stationnement et enjambe la clôture qui mène au pré voisin. Je la rattrape au pas de course. Elle grimpe dans un arbre, s'installe sur une grosse branche et, quand enfin je m'assieds près d'elle, je comprends à son sourire qu'elle a inventé toute cette histoire.

C'est malin. J'ai encore l'air du gars de la ville, pas préparé à exercer le plus vieux métier du monde. Je dis le plus vieux métier du monde sans vouloir porter ombrage aux prostituées, mais je vois mal qui aurait pu avoir des sous pour payer la première prostituée s'il n'avait pas d'abord labouré sa terre. Bien sûr, il aurait pu voler cet argent, mais à qui l'aurait-il volé sinon à quelqu'un qui, au départ, aurait cultivé sa terre ?

Agnès met fin à ma réflexion historique :

– Paraît que t'as démissionné ? C'est une bonne chose. T'es beaucoup plus utile dans ton rôle de travailleur social.

– Travailleur social ?

– Ce que t'as fait avec mes cousins, c'est... incroyable ! Je les reconnais plus. Ils sont dynamiques, drôles, pleins d'ambition, on travaille ensemble deux jours par semaine pour monter la *business*. On a déjà un client pour une première livraison. C'est beaucoup mieux que tout ce que t'aurais pu faire dans la police.

Ces paroles me font le plus grand bien. Surtout sortant de sa jolie bouche. Agnès remarque mon poignet dénudé.

– T'as perdu ta montre ?

– Non. Mais je veux pas bronzer en habitant. Et je peux pas dire qu'elle me manque tellement. J'essaie un autre système pour voir. Quand le soleil se lève, c'est le jour, quand il est tout en haut, on s'arrête pour manger et quand il se couche, la journée est finie. Ça fonctionne plutôt bien.

– Tu vas t'en retourner à Montréal ?

– J'ai des milliers de plants de wasabi à mettre en terre. Martin me loue son grenier. Pour l'instant, c'est parfait. C'est même plus grand que mon ancien appart à Montréal. Et je peux voir pousser nos plants.

– Ah... au cas où il y en aurait un qui se sauve. Tu pourrais courir après.

– Non, j'ai pas tellement le goût de courir après quoi que ce soit ces temps-ci. J'ai même pas envie de courir tout court.

– Tu vas faire quoi ?

– Pour l'instant, on va planter nos tiges. Ensuite, on va attendre que ça pousse.

– C'est tout ?

– C'est pas assez ?

– J'ai pas dit ça. C'est juste que ça m'étonne.

C'est vrai qu'elle ne m'a encore jamais vu dans cet état. Sans stress, sans horaire. J'essaie de lui expliquer ce qui se passe dans ma tête :

– Tu sais, le vide qu'on a ici à la campagne ?

– Le vide ?

– Ouais, au lieu d'avoir des choses partout, il y a du vide, de l'espace, du silence. On pourrait construire une immense allée de curling sur des milliers de kilomètres, si on voulait. On le fera pas, mais on pourrait.

– Ça donnerait quoi ?

– Ben… rien, justement. Ça remplirait le vide, mais c'est vraiment tout.

– T'as besoin de vacances, toi.

– Mmm…

Agnès, inquiète, examine la dilatation de mes pupilles.

– Ça se fume, du wasabi ?

– Je te jure que non…

CHAPITRE 34

Achever un tableau, c'est l'achever.

PABLO PICASSO

À la foire annuelle d'artisanat dans la salle communautaire, parmi les exposants qui valent vraiment le détour (c'est-à-dire qui valent vraiment la peine qu'on fasse un grand détour pour ne pas les voir), mentionnons Bertrande, qui expose ses affreux petits trucs poilus. Depuis que je lui ai légué ma méthode de motivation (elle m'a vu la jeter au panier et a tenu à la récupérer), elle est plus productive que jamais. Je ne sais pas si c'est un bien ou une calamité.

Le maire a fait installer des centaines de fanions arborant les nouvelles armoiries de la ville.

Personnellement, j'ai fait venir de mon entrepôt de Montréal quelques caisses de sandales postnucléaires invendues. Ici aussi, l'intérêt est mitigé, mais j'arriverai sans doute à rentabiliser l'opération.

Agnès en profite pour enfin exposer ses tableaux. Toute son œuvre, composée d'une dizaine de toiles toujours inachevées, est accrochée aux murs.

Guylain et Justin Maltais sont plantés devant l'une d'entre elles. Guylain grimace :

– C'est pas fini…

Je me sens le devoir d'intervenir pour expliquer la démarche de l'artiste :

– Ben, justement. C'est un nouveau genre : l'inachevé. Comme les grandes symphonies. On laisse un peu de vide.

Guylain me regarde sans comprendre.

– Quand on commence quelque chose, il faut le finir. Antoine l'a dit. T'es pas d'accord, *coach* ?

– Le vol de la Caisse, vous étiez pas pressés de le finir... On vous voit même plus rôder autour.

Justin me regarde comme si je n'avais rien compris.

– On n'a jamais voulu voler la Caisse. Nous prends-tu pour des voleurs ?

– Heu... non, non. Bien sûr que non...

Visiblement, ils ne sont au courant de rien de ce qui s'est passé dans les dernières semaines. C'est tant mieux. Justin regarde autour de lui pour s'assurer que personne ne l'entende et prend le ton de la confidence :

– Quand notre père est mort, il nous a fait jurer de le venger. Alors, c'est ce qu'on a fait. La Caisse lui avait refusé un prêt qu'il aurait facilement remboursé en deux ans. Ça aurait sauvé son commerce. Mais non, elle l'a laissé faire faillite.

– Mais vous avez jamais vraiment attaqué la Caisse.

– Ah oui, tu crois ?

Il jette un autre regard autour de lui pour être absolument certain que personne ne puisse lire sur ses lèvres, puis murmure presque sans ouvrir la bouche :

– On l'a attaquée tous les jours pendant deux ans.

Il sourit mystérieusement, mais ne semble pas prêt à en dire plus. Heureusement, Guylain estime que je mérite de connaître les détails de l'histoire.

– À la demande de papa, pas longtemps après sa mort, juste pour bousiller le mécanisme, on a versé une partie de ses cendres dans le guichet. Papa tenait à être personnellement impliqué dans sa revanche sur la Caisse. Avec le crochet de la remorqueuse, on ouvrait facilement la trappe et on versait un peu de papa là-dedans.

– Et puis ?

– Au début, rien. Tout a continué de fonctionner normalement. Alors, on est retourné le lendemain pour en mettre un peu plus. En ajoutant un tout petit peu de cendres chaque jour, on laissait aucune trace visible. Mais, on s'est vite rendu compte que le guichet commençait à donner des drôles de montants. Tu demandais quarante dollars, il t'en donnait le double ou la moitié ! Les particules microscopiques de papa s'en allaient dans le mécanisme et lui faisaient faire des erreurs de calcul. La Caisse a jamais compris ce qui se passait. Ils ont dépensé des milliers de dollars pour le faire réparer. Sans compter l'argent qu'ils ont perdu parce que le guichet donnait le mauvais montant... En deux ans, ils ont payé, les salauds. Papa a été vengé.

– Attendez, vous voulez dire que la Caisse vous a jamais soupçonnés d'être à l'origine du problème ? Vous étiez quand même là tous les jours !

– Ben justement ! Tout le monde pensait qu'on allait voler le guichet. Alors, ils attendaient juste le moment du vol pour en réclamer un nouveau aux assurances. Un modèle plus moderne, plus performant.

Guylain termine abruptement son récit et tourne les talons.

– Voilà. Mission accomplie. On a fini. Quand on commence, il faut finir.

Je reste éberlué, ne sachant quoi penser de son histoire. Ainsi, la ville entière était sous une impression erronée. Incluant Martin, Roxane et moi. Il devient évident que notre plan original n'aurait jamais pu fonctionner. Les frères Maltais, même motivés à bloc, n'auraient jamais volé le guichet. Quant au plan qui fut mis sur pied, je suis finalement assez soulagé qu'il ait échoué. Ces deux gars-là méritent davantage mon admiration qu'un séjour derrière les barreaux.

J'ai à peine le temps d'échanger un sourire avec Agnès que j'aperçois le maire Blackburn marchant dans ma direction, en compagnie du curé que j'avais rencontré au garage.

– Fred ! As-tu rencontré ton successeur ?
– Mon successeur ?
Le maire m'explique :
– C'est Aurèle qui reprend le poste de policier.
Le frêle curé semble un peu gêné de sa nomination.
– Le poste était vacant… Je vais continuer de travailler pour Dieu le matin et pour la veuve et l'orphelin l'après-midi. Un genre d'équilibre, quoi.
– Félicitations.
– Oh… C'est moi qui devrais te féliciter pour ce que tu as accompli avec Justin et Guylain Maltais. Ils sont de retour sur le droit chemin. Je croyais vraiment que c'était une cause perdue. Mais regarde-les aujourd'hui ! C'est un véritable miracle…
J'observe au loin les frères Maltais qui sont retournés s'accouder au bar pour caler des *shooters* en compagnie du petit homme moustachu au teint basané qui les accompagne depuis le matin.
Je m'informe auprès du maire :
– C'est qui, avec eux ?
– Ah… c'est leur client cubain. Il est venu inspecter un premier chargement de voitures.
– Déjà !
– Ils utilisent la vieille piste d'atterrissage de l'armée au nord de la ville. On remplit un avion-cargo et hop ! St-Perpétuel exporte vers l'international !
La tête haute, les pouces accrochés à ses poches de pantalon, les yeux tournés vers le ciel et semblant entrevoir l'avenir brillant de sa ville, il ose ajouter :
– J'ai toujours su que ces gars-là nous rendraient fiers.
Je dois laisser le maire à son extase car une main délicate prend la mienne pour m'emmener à l'écart.
– Je peux te dire un mot ?
– Excusez-nous.
Je laisse Agnès m'entraîner dans la pièce voisine.

CHAPITRE 35

Nul homme pressé n'est vraiment civilisé.

WILL DURANT

Agnès me fait entrer dans la petite pièce où elle a installé son chevalet. Elle me désigne un petit banc placé à proximité.

– Assieds-toi.

– Tu veux faire mon portrait ?

Agnès ne dit rien. Je m'assieds. Elle commence tout juste à peindre que déjà elle s'arrête.

– O.K., c'est beau.

Je demeure interloqué.

– Heu... déjà ? Je peux voir ?

– Si tu veux.

Je m'approche pour observer la toile. Je constate qu'elle ne comporte qu'un seul petit point noir sur l'immense fond blanc.

Je cherche une explication dans le regard de ma compagne.

– C'est moi, ça ?

– C'est ton grain de beauté sur la joue.

– Heu... et c'est tout ?

– C'est tout pour aujourd'hui.

– Bon... et la suite ?

– La suite, plus tard.

– Y a encore du chemin à faire...

– Est-ce que t'es pressé ?

Moi, pressé ? Pas particulièrement.

Québec, Canada
2006